일할수없는여자들

BOOK
JOURNALISM

일할 수 없는 여자들

발행일 : 제1판 제1쇄 2018년 12월 17일　제1판 제4쇄 2022년 3월 28일
지은이 : 최성은　발행인·편집인 : 이연대
CCO : 신기주　에디터 : 곽민해
디자인 : 최재성·유덕규·김지연　지원 : 유지혜　고문 : 손현우
펴낸곳 : ㈜스리체어스 _ 서울시 중구 한강대로 416 13층
전화 : 02 396 6266　팩스 : 070 8627 6266
이메일 : hello@bookjournalism.com
홈페이지 : www.bookjournalism.com
출판등록 : 2014년 6월 25일 제300 2014 81호
ISBN : 979 11 86984 96 3 03300

이 책은 저자가 2016년 교육부와 한국연구재단의 지원(SSK)을 받아 수행한 연구
〈무엇이 한국의 고학력 여성의 노동 시장 참여를 어렵게 하는가?〉의 내용을
수정·보완한 것입니다.

BOOK
JOURNALISM

일할 수 없는 여자들

최성은

차례

프롤로그 　　　　　독한 여자의 사회

지금의 직장에 자리 잡은 것이 2018년이니 석사 학위를 받은 2006년부터 꼬박 12년이 걸렸다. 긴 시간 동안 한국 사회에서 여성이 일자리를 구하고 직장인으로서 실력을 인정받기 위해 얼마나 많은 장벽을 넘어야 하는지를 절절하게 체감했다.

석사 과정을 마치고 한 연구원에서 3개월마다 계약을 연장해 가며 일했을 때다. 당시 선임은 다른 남성 연구원과 나를 자주 비교했다. "곧 석사급 정규직을 뽑을 건데 당신이 더 유리하다"며 나에게 더 많은 업무를 맡겼다. 그의 말에 기대를 걸고 밤낮없이 일했다. 그러다 건강에 이상이 생겼고, 혼자서 눕거나 일어서는 게 힘들 지경이 되어서야 퇴사를 결심했다. 정규직의 기회는 줄곧 비교 대상이 됐던 남성 연구원에게 돌아갔다.

박사 과정 중에는 결혼을 하고 아이도 낳았다. 결혼 초기 시댁과의 마찰로 매우 힘든 시기를 보냈지만 스스로를 다독일 틈도 없이 출산과 육아, 공부와 일을 병행했다. 겨우 세 살이 된 딸을 데리고 홍콩의 한 대학에서 열리는 콘퍼런스에 참여한 적도 있다. 잠든 남편과 아이가 깰까 봐 호텔의 화장실에서 문을 반쯤 열고 쪼그려 앉아 발표문을 연습했던 기억이 난다.

우여곡절 끝에 학위를 따고 시간 강사로 일할 무렵, 장례식장에서 알고 지내던 강사를 만났다. 어떻게 지냈냐는 그의 물음에 대학원에서의 생활을 간략하게 전했다. 돌아온 대

답은 이랬다. "독하다, 독해. 얼마나 독하면 그런 상황에서 애까지 키우며 박사 학위를 받았대?"

누군가는 치열했던 나의 삶을 위로하고 따뜻하게 격려해 주기를 바랐는데, 사람들은 나에게 독하다고 했다. 주변에서는 결혼까지 하고 박사 학위를 따려는 나에게 조언 아닌 조언도 많이 했다. 이만하면 열심히 했다며, 아이도 있으니 남편 월급 받으면서 편하게 지내라는 거였다. 하지만 남편이 일자리를 구하고 직장에서 인정받기 위해 노력하는 것처럼 내게도 하고 싶은 일이 있었다. 물론 학위 과정을 밟으면서 아이를 키우는 것은 무척 힘든 일이었다. 독한 사람이어서 해낸 것이 아니다. 최선을 다해서 버텼을 뿐이다.

누구도 나에게 잘해야 한다는 부담을 주지 않았다. 지도 교수도 내게 많은 실적을 바라지 않았다. 하지만 아이 엄마라고 해서 이해받고 싶지는 않았다. 결혼을 하지 않은 동료, 아이를 돌보는 일에서 자유로운 편인 남성들과 동등한 위치에서 평가받고 싶어서 스스로를 채찍질했다. 고된 하루를 마치고 아이를 데리러 가면 스트레스에 찌든 모습을 보여 주지 않으려고 어린이집 대문을 열기 전에 머리를 세차게 흔들어 보기도 했다.

한국 사회에서 직장을 다니는 여성이라면 대부분 비슷한 경험을 한다. 결혼과 출산, 양육 등의 문제로 직장 생활을 접는 쪽은 대부분 여성이다. 출산 후에 직장으로 복귀하면 동료 남성보다 더 나은 성과를 보여서 뒤처졌다는 소리를 듣지 않아야겠다는 압박감을 느낀다. 그렇게 어떻게든 직장에 다니며 고위직에 오른 여성에게는 여지없이 '욕심이 많다'거나 '독하다'는 수식어가 따라온다.

수년 전 한국 사회는 알파걸의 등장을 반겼다. 기성세대에 비해 학력이 높고 능력이 뛰어난 여성이 노동 시장에 활발하게 진출하고 있다는 보도가 연이어 나왔다. 그러나 남녀의 격차와 차별은 여전히 문제다. 여성은 남성에 비해 평균 임금이 낮고, 고위직 승진 기회도 적다. 여성은 더 높은 학위를 받아서 성차별을 극복하려 하지만, 한국 노동 시장에서는 고학력이 양질의 일자리로 연결되는 학력 프리미엄도 잘 작동하지 않는다.

2003년 미국에서는《하이힐을 신고 달리는 여자I Don't Know How She Does It》라는 소설이 큰 인기를 누렸다. 아마존 베스트셀러에 오른 이 작품은 동명의 영화로도 만들어져서 흥행했다. 주인공은 '잘나가는' 맞벌이 여성이다. 그는 영화 제목처럼 멋진 구두를 신고 열심히 달린다. 회사에서는 경쟁 상대인 남성에게 능력으로 승리하고, 일과 가정 중에 하나를 택해야 하는 상황에서 당당히 일을 고른다. 아이를 둘이나 키우는 워킹맘인데도 그렇다.

반면 한국에서 최근까지도 큰 관심을 받고 있는 베스트셀러《82년생 김지영》은 알파걸로 자란 여성이 한국 사회에서 차별받고 소외당하는 현실을 그리고 있다. 고학력 여성이 당당히 자신의 능력을 선보이는 스토리보다, 여성에 대한 부당한 차별에 공감하는 사람이 더 많다는 의미다.

　　한국에도 여성 관련 정책들이 비약적으로 늘고 있다. 하지만 그 실효성에는 의문이 남는다. 일과 가정 양립을 위한 지원책들은 노동 시장에서 여성의 불이익 해소에 도움이 되지 않는 실정이다. 저출산과 경력 단절 문제는 더 심각해지고 있다. 2년제 전문대 졸업 이상의 학력을 지닌 이들을 고학력 여성으로 분류하는 학계의 기준에 비춰 보면, 지금 사회생활을 하고 있는 한국 여성은 대부분 고학력에 해당한다고 봐도 과언이 아니다. 그런데도 한국에서 고학력 여성의 일자리에 대한 논쟁은 사치처럼 여겨지고 있다.

　　이 글을 통해 한국 여성이 어떤 노동 환경에 처해 있는지를 살피고, 여성들이 소외될 수밖에 없는 이유를 밝히고자 했다. 미래에는 더 나은 세상에서 배운 만큼 기여할 수 있는 기회의 통로가 만들어지기를, 한국 사회가 성실하고 능력 있는 여성을 놓치지 않기를 바란다.

1 평등한 경쟁이라는 환상

여성은 투자 대상이 아니다

박사 학위를 취득한 후 취업을 준비했던 때, 안면이 있었던 교수님을 만났다. 그는 내게 아직도 학교에 있냐고 물었다. 직장을 구하지 못했느냐는 의미였을 것이다. 강사 일을 하면서 돈도 벌고, 꽤 규모가 큰 프로젝트에서 전임 연구원으로 일하고 있었기 때문에 주눅 들지 않고 답할 처지가 됐다. 그러나 대답을 들은 교수는 말했다. "서른일곱이면 생각보다 연식이 있네. 빨리 자리를 잡아야 하지 않겠어? 여자가 나이 들면 자리 잡기 쉽지 않아."

그렇다. 기업 입장에서는 나이 든 여성에게 투자할 가능성이 낮다. 인적 자원으로서 가치를 입증하기가 쉽지 않은 것이다. 고용주 입장에서 채용은 미래를 위한 투자다. 사람을 뽑기 위해 비용을 써야 하고, 이들을 회사에 꼭 필요한 인재로 키우기 위해서 지속적인 교육이 필요하다.

회사는 시간과 비용을 들여서 교육한 노동자가 다른 회사나 산업으로 이탈하는 것을 우려한다. 그래서 우수한 인재가 오래 회사에 남을 수 있도록 해당 분야에서 경쟁력을 가질 수 있는 교육 기회를 제공한다. 이렇게 갖게 되는 역량을 전문 숙련specific skills이라고 한다. 특정 기업이나 산업에서 활용할 수 있는 기술이다.

전문 숙련과 반대되는 개념이 일반 숙련general skills이다.

일반 숙련이란 어느 직장에서나 두루 활용할 수 있는 기술이다. 대학 교육을 통해서 얻을 수 있는 능력이 일반 숙련에 가깝다. 컴퓨터 활용 기술이나 조직 생활에 잘 적응하고 소통하는 기술 등이다. 어디에서나 두루 쓰일 수 있지만, 이런 능력을 갖췄다고 해서 핵심 인재가 되기는 어렵다.

여성은 기업이 전문 숙련을 가르치기에 적합한 노동력이 아니다. 지금의 사회 구조에서 여성은 결혼이나 출산, 양육 등의 이유로 노동 시장에서 떠날 가능성이 높다. 여성이 직장을 그만두면 그 손해는 고스란히 기업에게 전가된다. 결국 기업은 여성에게 비용을 투자해 중요한 기술을 가르치지 않는다. 여성이 남성에 비해 전문적인 역량을 기를 수 있는 교육 기회를 받지 못하는 이유다.

더 큰 문제는 여성도 전문 기술을 익히기 위해 시간과 비용을 들이지 않게 된다는 점이다. 일반적으로 노동자는 고용에 대한 보호가 약할수록 전문 기술을 익히기보다 일반 숙련을 얻고자 한다. 결혼이나 출산으로 경력이 단절될 수 있는 여성에게는 특정 기업에서만 활용할 수 있는 기술을 익히는 것이 오히려 손해다. 언제든 직장을 옮길 수 있는 상황에서 택할 수 있는 최선의 위험 회피 전략은 일반 숙련에 투자하는 것이다. 여성은 스스로 일반 숙련에 투자하고, 이로 인해 언제든 대체될 수 있는 평범한 노동자가 된다. 고용주가 여성 인력을 교육하지 않고, 여성도 전문 숙련을 익히지 않는 이러한 경향은 노동 시장의 성별 격차를 심화시킨다.

만약 국가 차원에서 고용 보호를 확실히 한다면 어떨까. 국가 차원에서 노동자가 이탈하지 않는다는 확신을 주면 기업도 내부 인적 자원에 대한 투자를 늘리는 것이 일반적이다. 기업에게는 경쟁 기업이나 산업에 노동력을 빼앗길 수 있다는 가능성이 인력 교육을 좌우하는 변수다.

그런데 여성은 고용 보호 제도가 강력할수록 오히려 투자를 받지 못하는 경향이 있다. 국가에서 여성의 고용을 강력하게 보호할수록, 기업은 여성이 이탈할 경우 더 큰 손실을 부담하게 된다. 결국 처음부터 여성을 뽑지 않는 방식으로 대응하게 된다. 여성 노동력을 보호하는 국가에서 역설적으로 성별 직종 분리 현상이 심화되는 이유다. 강한 고용 보호 정책이 시행되는 국가에서는 기업이 여성에게 성별 격차를 줄일 수 있을 만큼의 숙련 기회를 제공하지 않는다.

국가의 강한 고용 보호 정책으로 여성이 노동 시장에서 소외되는 현상은 복지 국가인 스웨덴에서도 나타난다. 철강과 자동차 산업으로 경제 발전을 이룩한 스웨덴은 남성 중심의 고숙련 노동자를 필요로 했다. 남성 고숙련 노동자에 대한 수요는 여성이 공공 서비스 부문에 몰리는 결과를 낳았다. 이에 반해 미국은 고용 보호가 약하다는 특성이 여성의 고위직,

관리직 진출을 용이하게 만들었다. 기업이 성별에 관계없이 모든 노동자를 보호하지 않는 체제에서는 남녀의 능력이 동등하게 평가받을 수 있었기 때문이다.

노동 정책을 연구하는 학자들은 "유리 천장을 없애려면 성 평등을 추구하는 인적 자원 관리 전략이 필요하다"고 한다. 한국노동연구원의 분석 결과, 기업이 제공한 교육을 받은 여성일수록 관리직에 진출할 가능성이 높다고 한다. 조직 내에서 여성의 교육 기회를 확대하는 것이 여성의 능력과 전문성 제고에 긍정적인 영향을 준다는 의미로 읽는다.[1] 하지만 한국 사회에서 여성 인력의 상당수는 전문성이 낮은 기술을 갖고 불안정한 일자리를 감수하고 있다. 2018년 8월 기준으로 남성 임금 노동자 1117만 명 중에서 정규직 노동자의 비율은 73.7퍼센트(823만 명)다. 반면 여성 임금 노동자 887만 명 중 정규직 비율은 58.6퍼센트(519만 명)에 그치고 있다.[2]

좋은 일자리를 얻고 승진하는 기준이 명확하다면 여성은 더 공평한 기회를 얻을 수 있다. 여성들이 학력 증명이나 자격증, 전문 학위로 노동 시장에 진출할 수 있는 직종을 선호하는 이유다. 여성 교사의 비율이 월등히 높은 현상도 이와 무관하지 않다. 여성들은 지원자들이 같은 시험을 치르고, 점수에 따라 합격 여부가 갈리는 것이 더 공정한 방식이라고 여긴다. 의학전문대학원, 법학전문대학원 등에서 자격증을 취득

해서 전문직, 관리직으로 진출하려는 여성들이 많은 현상도 같은 이유로 설명할 수 있다. 여성이 특정 전문직에 몰리는 현상은 여성의 사회 진출이 확대되고 있다는 의미가 아니다. 성평등한 일자리가 적다는 의미로 해석해야 한다.

저임금 저숙련의 늪

남녀의 성별 직종 분리 현상은 대부분의 국가에서 나타난다. 성별 직종 분리가 심각한 나라는 의외로 북유럽의 복지 국가 스웨덴이다. 성별 직종 분리는 사회적, 경제적 지위가 높은 직종에 여성이 적은 현상을 의미하는 수직적 분리와 여성이 공공 영역 등 특정 부문에 몰리는 수평적 분리로 나뉜다. 사회학자 제니퍼 자먼Jennifer Jarman이 2002년부터 2006년을 기준으로 성별 직종 분리 정도를 비교한 결과에 따르면, 조사 대상 22개국 가운데 직종 분리 현상이 가장 심한 나라들은 핀란드, 덴마크, 스웨덴 등 북유럽의 사민주의 국가였다.[3]

사민주의를 대표하는 스웨덴과 자유주의를 대표하는 미국, 그리고 한국의 사례를 비교해 보자. 유리 천장이라 불리는 수직적 분리 현상은 한국이 가장 심한 것으로 나타났고, 여성이 공공 부문에 몰리는 수평적 분리 현상은 스웨덴, 미국, 한국 순으로 심했다.

수직적 분리와 수평적 분리 중에서 무엇이 더 나쁘냐고

묻는다면, 고위직의 대부분을 남성이 차지하는 수직적 분리일 것이다. 스웨덴처럼 수평적 분리 현상이 심할 경우에도 여성 비율이 높은 직종의 처우가 나쁘다면 문제가 생길 수도 있다. 스웨덴은 1970~1980년대까지 민간 영역이 흡수하지 못한 여성들을 국가가 공공 분야에서 고용하는 전략을 취했다. 민간 영역에서 여성들이 선택하는 직업도 양육, 보호, 간호 등의 서비스 직종이 대부분이었다. 그러나 스웨덴은 여성의 사회 활동을 보장하는 국가로 알려져 있다. 성차별 문제가 지적되는 국가도 아니다. 스웨덴이 비판을 적게 받는 이유는 직종별 임금 격차가 크지 않기 때문이다.

스웨덴의 여성들은 자녀가 어릴 때 양육에 많은 시간을 투자한다. 자녀를 돌보기 위해서 근로 시간을 줄이는 방법을 택하기도 한다. 스웨덴에서 6세 미만의 자녀를 둔 여성들은 일반적으로 파트타임 일자리를 선호한다. 반면 미국은 자녀가 있는 여성이 파트타임으로 일하는 비율이 크게 낮다. 미국에서 6세 미만 자녀를 둔 여성의 파트타임 종사 비율은 24퍼센트로, 경제 협력 개발 기구OECD 국가 평균인 30퍼센트에 훨씬 못 미친다.[4]

스웨덴과 미국의 가장 큰 차이는 파트타임 일자리의 임금 수준이다. 스웨덴의 파트타임 일자리는 정규직과 비슷한 수준의 급여를 보장하는 반면 미국은 그렇지 않다. 미국은 파트타임 일자리의 질이 좋지 않기 때문에 자녀가 있는 여성이 어떻게든 정규직 일자리를 유지하려고 하는 것이다. 대부분의 국가에서 파트타임 노동은 좋지 않은 일자리라는 인식이 강하다. 저임금인 경우가 많고 고용이 불안정하다. 노조가 없거나, 있다 해도 대표성이 약해 보호를 받기가 어렵다. 고용 관련 보험이 적용되지 않는 작업장에서 일하는 파트타임 노동자도 많다.

한국의 상황은 어떨까. 한국 노동 시장에서는 저임금 여성 노동자의 지위가 낮다. 비정규직 여성들이 더 나은 일자리로 이동하는 일은 사실상 불가능하다. 스웨덴의 경우 여성 고용이 사회 서비스 분야에 몰려 있어 직종 분리 현상은 심하지만, 사회 서비스를 공공 부문에서 제공하기 때문에 저임금 여성 노동자라 하더라도 상대적으로 관대한 국가 복지와 노동조합의 혜택을 누릴 수 있다. 한국은 여성이 서비스 부문에 진출하기는 하지만, 스웨덴처럼 양질의 일자리라고 보기가 어렵다. 여성이 몰려 있는 직업군 대부분이 비정규직 형태다. 외환 위기 이후로는 비정규직과 정규직의 임금 격차도 벌어졌다. 이는 여성의 임금을 낮추는 결과로 이어져 성별 임금 격차를 심화시켰다.

우리 사회에서 정규직 여부는 일자리의 질을 가늠하는 중요한 지표다. 구직자들은 월 급여가 낮더라도 비정규직보다는 정규직 일자리를 선호한다. 그런데 최근 정부가 내놓는 여성을 위한 일자리 정책에는 '시간제 일자리의 확대'라는 문구가 등장한다. 아이를 둔 엄마가 시간제 일자리를 선호한다는 수요 조사에 근거한 것인지, 스웨덴 같은 국가에서 여성들이 시간제 일자리를 적극적으로 활용하는 사례를 보고 정책 이식을 시도하는 것인지는 확실하지 않다.

그러나 현재 시점에서 시간제 일자리의 확대는 한국 여성에게, 특히 고학력 여성에게 효용이 적다. 시간제 일자리에 한번 진입하면 정규직으로 복귀할 가능성이 낮은 상황에서 고학력 여성들의 노동력이 낭비되는 현상만 심해질 수 있다. 한국에서 남녀의 대학 진학률은 1980년대부터 2016년까지 비슷하게 증가했다. 그러나 경제 활동 참가율은 여성이 남성에 비해 계속 낮은 상태다.

취업률 격차와 맞물려 주목할 부분이 남녀 간의 임금 격차다. 2017년 한국고용정보원이 발표한 보고서에 따르면 고학력 여성이 증가하고, 경제 활동 참가율이 상승하며 성별 임금 격차가 전에 비해 줄어드는 추세라고는 한다.[5] 하지만 임금 격차는 여전히 우리 사회가 해결해야 할 문제로 남아 있다. 고용노동부가 실시한 2016년 고용 형태별 근로 실태 조사에 따르면, 정규직 여성의 임금은 정규직 남성이 받는 임금의 71.3 퍼센트 수준이다. 비정규직의 임금 격차 문제는 더 심각하다.

비정규직 고용의 형태는 단시간 근로, 기간제 근로, 한시적 근로, 파견, 용역 등으로 나뉜다. 정규직 남성과 비정규직 남성 간의 임금 격차도 상당하지만, 여성은 모든 형태의 비정규직에서 남성보다 더 낮은 임금을 받고 있는 것으로 나타났다. 임금 수준을 10분위로 구분했을 때, 소득이 가장 낮은 1분위에 속한 여성은 전체의 13.7퍼센트였다. 남성(7.9퍼센트)에 비해 5.8퍼센트포인트나 높았다. 고소득 구간인 10분위에는 남성의 13.2퍼센트가 속해 있는데, 여성은 4.4퍼센트에 불과했다.

남녀 임금 격차가 확대되는 연령은 35세부터 54세까지다. 이 시기에는 과반수에 가까운 여성이 1~3분위에 해당하는 낮은 임금을 받는다. 게다가 여성은 경력 단절로 인해 근속 기간이 짧아지면서 연차에 따른 임금 상승 효과도 누리지 못하는 경우가 많다. 조사 표본이 된 여성의 절반 이상이 근속 3년 미만에 해당하는 노동자인데 반해, 남성은 근속 3년 이상에 해당하는 비율이 과반수였다. 한국에서 여성들은 노동 시장에 진출하기까지의 어려움에 더해 노동 시장에서의 임금 격차라는 중첩된 어려움을 겪고 있는 것이다.

한국 노동 시장은 어떻게 만들어졌나

한국 노동 시장에서 여성의 소외 현상은 오랜 기간 축적된 차별의 결과다. 한 나라의 제도는 단일한 행위자에 의해서 결정되는 것이라기보다 복지 체제, 산업 및 노동 시장 체제, 교육·숙련 시스템, 정치 체제의 상호 보완으로 만들어진다. 다양한 제도가 경합을 벌이며 한 나라의 시스템을 만들게 된다는 개념을 제도적 상호 보완성이라고 한다. 한 영역에 속한 어떤 제도가 다른 영역에 속한 제도의 존속 여부나 효율성에 영향을 미칠 수 있을 때 보완적 성격이 있다고 보는 것이다.[6] 서울시의 청년 수당 정책을 노인 인구 비율이 높은 경기도 연천군에서 실시하면 실효성을 기대하기 어려울 것이다. 이처럼 같은 정책도 어떤 맥락에 놓이느냐에 따라서 다른 결과를 낳는다.

학자들은 1970년대 오일 쇼크로 전 세계가 똑같이 경제 불황을 겪었음에도 많은 나라가 서로 다른 변화를 겪었다고 진단한다. 정치경제학자 토번 아이버슨Torben Iversen과 안느 렌Anne Wren은 1970년대의 경제 위기로 인해 세 가지 형태의 복지 국가가 발달했다고 설명한다. 소득 평등을 희생하면서 건전 재정과 고용 증대를 추구하는 영미 자유주의, 건전 재정보다는 소득 평등과 고용 증대를 우선시하는 북유럽의 사민주의, 건전 재정과 소득 평등을 강조하며 고용 부문을 희생하는 유럽 대륙의 보수주의 모델이다.

이렇게 다른 모델이 나타난 이유는 한 나라의 생산 레짐이 복지 정책과 맺는 관계가 상이해서다.[7] 생산 레짐은 산업 구조와 산업 정책, 금융 시장 구조와 금융 정책, 노동 시장 구조, 노사 관계, 직업 훈련 시스템, 기업의 지배 구조 등을 통칭하는 한 나라의 경제 체제다. 이런 요소가 사민주의, 자유주의, 보수주의 등의 복지 기조와 맞물려서 개별 국가의 시스템이 만들어진다.

　　노동 시장에서 여성의 지위를 논의하기 위해서는 한국의 경제 체제와 복지 정책에 대한 이해가 필요하다. 생산 레짐을 연구하는 한국 학자들은 한국의 발전주의 국가 전략에 주목했다. 한국은 정부가 금융, 기업과 긴밀하게 상호 작용하되 노동 부문을 배제하고 억압하며 발전한 나라다. 한국의 복지 체제는 스웨덴처럼 노사 간의 힘의 균형을 통해 상호 보완을 이루며 정착된 것이 아니다. 복지 정책은 권위주의 국가의 정치적 정당성을 확보하고, 산업화를 이룩하는 데 필요한 최소한의 보완 기제였다.

　　발전주의 국가 전략은 1960년대 박정희 전 대통령이 경제 발전을 위해 수출 지향 전략을 추진하면서 본격적으로 제도화됐다. 산업화에 필요한 자본이나 생산 기술이 부족했던 한국 정부는 금융 기관을 국유화하고, 기업가들과 지배 연합을 맺으며 자본금을 조성했다. 저렴한 노동력을 이용해 경공업 분야에서의 수출 증대를 노렸다. 1970년대 중화학 공업이 발달하면서 국가의 영향력은 더 커졌다.

　　국가의 개입은 부존자원이나 생산 기술이 없는 상황에

서 초기의 산업화가 성공적으로 진행된 요인이었다. 반면 복지 부문에는 재정을 투입할 여력이 없었다. 한국의 복지 정책은 경제 성장에 우선순위를 두고 낮은 복지 지출을 강조하는 보수주의 모델로 공고화됐다.

특히 여성 정책은 처음부터 선별적으로, 자선의 형태로 제공됐다. 한국의 여성 복지는 1946년 미군정美軍政 시기의 여성 정책을 시발점으로 한다. 해방 이후 1950년대까지 남편을 잃은 아내와 그 가족, 공창 제도로 인한 윤락 여성 등 국가의 보호가 필요해 보이는 일부 여성에게 선별적으로 복지 정책을 제공했다. 1960년대에 국가 발전이 주된 목표가 되면서 여성의 저임금 노동이 중요한 노동 자원으로 떠오르기는 했지만, 자활과 자립을 중시하는 정책 기조로 인해서 보편적 복지라는 관점이 확대되지는 못했다.[8]

우리나라가 1970년대 중화학 공업화를 추진했을 때 정부와 기업은 남성 중심으로 직무 훈련을 실시했다. 1970년대의 중화학 공업화는 여성이 노동 시장에서 심각하게 배제되는 결과를 낳았다. 경공업이 경제 성장의 중심이었던 1960년대에는 저숙련 여성 노동에 대한 선호가 높았다. 하지만 중화학 공업화를 추진하면서 남성 중심의 고숙련 노동자가 노동 시장의 중심이 됐다. 숙련 노동에 대한 수요가 폭발적으로 증가하자 정부가 기술 훈련 프로그램을 내놓기도 했으나, 기업은 내부 교육을 통해 자체 인력 풀을 양성하고자 했다.[9] 직장 내 직무 교육이 활성화되는 노동 환경에서 여성은 임신이나 자녀 양육 등으로 인해 노동 시장에서 이탈할 가능성이 있는 존재였고, 기업의 숙련 투자 대상에서 밀려날 수밖에 없었다.

노동 시장에서 여성의 지위가 낮아지는 와중에도 한국의 복지 정책은 확대되지 못했다. 전두환 정권은 노동 조직을 산업 노조에서 기업 노조로 전환했다. 산업이나 국가 수준의 조직화가 불가능한 방식이기 때문에 복지 제도는 보편적인 형태를 지향하기가 어려웠다. 국가는 대기업의 핵심 노동자를 보호하기 위해 사회 보험 중심의 복지 정책을 만들었고, 사회 보험도 기본적인 소득 보장보다는 위험 비용을 경감하는 최소한의 소득 보장에 머물렀다. 동시에 근로 의욕을 강조하다 보니 일할 능력이 없는 이들을 위한 선별적 혜택에 그쳤다.

국가 복지가 최소 비용을 지향하는 것과 달리 기업 복지는 상대적으로 발전했다. 노사의 자율적인 협상을 통해 기업 복지가 발전한 영미 자유주의 유형과도 다른 형태다. 한국에서는 국가 복지를 보완하기 위해 민간 복지, 기업 복지가 발전했다.[10] 결과적으로 이 시기를 거치면서 핵심 산업에 종사하는 노동자는 높은 수준의 국가 복지와 기업 복지를 동시에 누리고, 그렇지 못한 노동자와 주변 계층은 낮은 수준의 국가 복지와 기업 복지를 누리는 노동 시장의 이중 구조가 만들어졌다. 산업 구조가 고숙련 노동자 중심의 자본 집약 산업과 전통적인 노동 집약 산업으로 이분화되고, 기업의 지배 구조가 대기업 중심으로 강화되며 주변 노동의 소외는 더 심해졌다.[11]

결국 급여 수준도 좋고, 급여 외의 복리 후생도 좋은 핵심 노동 시장에 진입할 수 있는지가 삶의 수준을 결정하는 중요한 지표가 됐다. 수많은 청년이 대기업에 입사하고 싶어 하는 이유를 떠올려 보면 이해가 쉽다. 한국에서 직업 고교와 전문 대학의 허약성으로 인해 발생하는 중급 숙련의 부족은 이런 격차를 더 심화시킨다. 중급 숙련의 부족으로 중소기업의 어려움이 가중되는 동시에, 중소기업은 중급 숙련에 투자하지 못해 더 허약해진다.[12] 한국과 비슷한 복지 체제를 가지고 있는 일본만 해도 부품이나 첨단 기술 개발, 중급 숙련 형성에 중소기업이 미치는 영향력이 크다. 그러나 한국의 대기업은 부품 납품을 대부분 해외에 의존하기 때문에 중소기업과 상생을 도모할 유인이 적다.

중산층 이상의 자녀들은 직업 교육이나 기술 교육을 회피하고, 대기업에 진입할 수 있는 경쟁력을 얻기 위해 더 높은 수준의 교육을 이수하려고 한다. 이로 인해 고등 교육은 과잉 팽창되고, 고학력 청년의 실업 문제는 갈수록 심각해지고 있다. 한국처럼 대부분의 국민이 일반 대학 교육을 받고, 명문 대학 진학을 원하는 상황은 교육을 지위재positional goods

로 만든다. 명문 학교에 진학할 수 있는 능력이 노동 시장에서 개인의 가치를 결정해 버리는 것이다. 이런 상황은 지위 경쟁positional competition을 유발하고 교육 기회와 경제 전체의 양극화를 불러온다.[13]

우리 사회에서 명문 대학 진학을 위한 지위 경쟁은 심각한 수준이다. 2018년 방영된 드라마 〈시크릿 마더〉는 아들 교육을 위해 의사라는 직업도 버린 열혈 엄마를 그린다. 한국 사회에서는 교육열이 높은 엄마들이 하나의 집단으로 그려진다. 대학 교육을 받고도 전업주부로 일하는 여성이 많아서다.

남성 중심의 핵심 노동 시장과 여성 중심의 외부 노동 시장이라는 이중 구도는 한국 경제를 지배해 온 시스템이다. 그렇다면 중화학 공업화 시기가 끝나고, 화이트칼라라 불리는 사무직이 주류가 된 한국 사회는 과거와 다를까. 노동 시장에서 여성의 어려움을 논할 때 '여성 차별은 옛말이고, 요즘은 여성이 더 좋은 대우를 받는다'거나 '여성이 일자리를 가지지 못하는 이유는 경제 불황으로 남녀 가릴 것 없이 어려운 시기이기 때문'이라며 여성만의 문제가 있다는 사실을 회피하려는 이들이 있다. 그러나 한국 사회에서 핵심 노동과 주변 노동이라는 이중 구조는 노동 시장에서 여성의 지위에 지속적으로 영향을 미치고 있다.

여성만의 위험이 있다

고용 보호와 숙련 형성의 정치 경제 속에서 고용주가 투자를 결정하는 요인 중 하나가 성별이다. 위험을 회피하고자 하는 고용주는 여성이 남성에 비해서 직장을 그만둘 가능성이 높다고 여긴다. 기업 입장에서 투자 대비 수익을 거두지 못할 것이라는 판단이 서면 여성 인력에 투자하는 비용도 줄어든다. 생산 레짐을 연구하는 대표적인 여성학자 마가리타 에스테베즈 아베Margarita Estèvez-Abe는 생산 체제를 구성하는 제도적 맥락이 젠더 격차를 만들고, 성별 직종 분리 현상을 강화시킨다고 분석했다.[14] 에스테베즈 아베는 남성과 여성의 생물학적 차이, 가사 노동의 불평등으로 인해 여성이 떠안게 되는 부담을 여성 특정 위험women-specific risks이라는 말로 설명한다. 그의 분석에 따르면 여성은 결혼과 출산, 양육 등의 이유로 해고당할 수 있다는 위험에 노출돼 있다. 동시에 꾸준히 기술을 키울 기회를 누리지 못하거나 습득한 숙련의 가치가 하락할 수 있다는 위험도 안고 있다.

한국은 여성 특정 위험이 실존하는 나라다. 2017년 통계청이 발표한 일·가정 양립 지표에 따르면 경제 활동을 하지 않는 여성의 경력 단절 사유는 결혼이 가장 많고, 육아, 임신과 출산, 가족 돌봄, 자녀 교육 순으로 나타났다. 남녀가 가사를 공평하게 부담해야 한다고 생각하는 사람은 50퍼센트가 넘지만, 실제로 가사 노동을 공평하게 분담하고 있다고 답한 가구는 남성은 17.8퍼센트, 여성은 17.7퍼센트로 훨씬 낮다. 문제는 많은 기업이 여성의 가사 노동을 자발적인 선택으로 보고, 여성이 자의로 노동 시장에서 이탈한다고 생각한다는 점이다. 자녀 양육은 여성의 몫이라거나 아이는 엄마가 키워야 한다는 사회적 인식 때문이다.

육아를 돕는다는 명목의 관대한 유급 휴가 정책도 성별 직종 분리를 가속화시킬 수 있다. 긴 유급 휴가는 고용주에게 부담으로 작용한다. 고용주가 유급 휴가에 대한 실질적인 부담을 지지 않더라도, 임시 인력을 고용해야 하는 등의 추가 비용이 생겨나기 마련이다. 게다가 1년 이상의 긴 휴가를 쓴 노동자가 있다면, 복귀 시점에 노동자가 업무 환경에 잘 적응할 수 있도록 돕는 교육 프로그램과 인사 관리 시스템 등이 있어야 한다. 고용 보호 법률이 강력하게 작동하는 나라라면 추가 비용에 대한 기업의 부담이 더 커질 것이다. 고용주가 노동력을 붙잡아 두기 위해 인적 투자를 늘릴수록, 여성에게는 더 차별적인 노동 환경이 만들어지는 이유다.

여성이 경력 단절 후 복귀하는 과정도 결코 순탄치 않다. 출산 이후 직장에 복귀한 유자녀 여성들은 자신의 업무 능력이 예전 같지 않다고들 한다. "전문 용어를 사용해야 하는데 적합한 단어가 떠오르지 않아서 당황했다"거나 "갑자기 머리가 새하얘진 느낌을 받았다"는 것이다. 시장 변화에 민감한 직업일수록 출산 후에 복귀한 여성의 당혹감은 더 커진다. 여기에 출산 휴가와 육아 휴직으로 생긴 공백 기간에 내 업무를 맡은 동료에 대한 미안함, 복귀 후 새로운 환경에 적응하지 못하는 자신의 모습에 대한 불안함 등이 겹쳐 중첩된 어려움을 겪는다. 기업은 이들이 직장 생활에 빠르게 복귀할 수 있도록 적절한 교육을 제공해야 마땅하나, 가정으로의 이탈을 자발적인 선택이라고 생각하는 기업이라면 숙련도가 떨어진 여성을 업무의 최전선에 두려는 노력을 하지 않을 가능성이 높다.

배워도 인정받지 못하는 이유

남녀의 비활동 격차inactivity rates라는 지표가 있다. 비활동이란 고용되지 않았거나 일자리를 찾지 않는 상태를 말한다. 남녀의 비활동 격차는 여성의 비활동률에서 남성의 비활동률을 뺀 값으로, 수치가 높을수록 남성에 비해 경제 활동을 하지 않는 여성이 많다는 의미다.

2018년 OECD가 발간한 비활동 격차의 평균을 보면 중학교 과정에 해당하는 전기 중등 교육below upper secondary이 가장 높고, 고등학교 과정에 해당하는 후기 중등 교육upper secondary, 대학 과정에 해당하는 고등 교육tertiary 순으로 수치가 감소했다. 대부분의 선진 국가에서는 학력 수준이 높아질수록 여성과 남성의 비활동률 격차가 줄어든다. 여성의 높은 교육 수준이 안정된 일자리를 가질 기회를 높인다는 학력 프리미엄 효과는 정도의 차이는 있을지언정 대부분의 선진 자본주의 국가에서 통하는 이야기다. 많은 연구가 실증 분석을 통해서 여성의 교육적 성취가 여성 고용 증가 현상을 설명하는 중요 요인이라고 밝힌 바 있다.

최근의 한국은 고학력 사회라 해도 과언이 아니다. 특히 여성의 교육 수준은 과거에 비해서 월등하게 높아졌다. OECD가 수행하는 국제 학습 능력 평가에서도 여학생의 성적이 남학생과 거의 차이가 없는 수준이다.[15] 그런데 한국은 비교 대상이 되는 OECD 국가 중에서 홀로 다른 경향을 보인다. 학력이 높을수록 여성의 비활동률이 남성에 비해 높아졌다. 한국은 고등 교육, 후기 중등 교육 및 중등 후 비고등 교육, 전기 중등 교육 순으로 비활동 격차가 높았다.[16]

여성 교육 프리미엄을 노동 시장에서 확인할 수 있는 대표적인 나라는 미국이다. 대학 이상의 교육을 받은 여성이 노동 시장에서 유리한 지위를 가지는 것이다. 미국처럼 기업 특정 숙련을 요하는 제조업의 기반이 약하고, 기업이 노동자를 고용하거나 해고하는 과정에서 상당한 유연성을 갖는 노동 시장에서는 여러 직장으로 전이가 가능한 대학 교육을 받은 이들이 노동 시장에서 유리한 지위를 갖는다.[17] 미국은 지식 기반 산업이 지배적이어서, 대학 교육이나 전문 자격 획득 여부에 따라 보상이 크게 달라지는 교육 프리미엄이 존재한다. 이런 환경에서는 더 높은 수준의 직업으로 진입하거나 승진할 때 고등 교육을 받은 여성이 남성에 비해 비교 열위에 처하지 않는다.[18]

　미국은 복지 정책의 측면에서 한국과 유사한 점이 많지만, 한국과는 달리 중산층 고학력 여성이 전문직, 관리직에 활발하게 진출한다. 출산이나 육아로 경력 단절을 겪는 경우도 적다. 1979년부터 2000년까지 미국 고학력 여성의 합계 출산율은 2.0명으로 높은 편이었다. 관련 연구에 따르면 미국에서 고졸 이하의 여성은 임금이 상승할 때 아이를 낳지 않으려는 경향을 보이지만, 그 이상의 학력을 가진 여성은 임금이 상승할 때 오히려 아이를 더 낳는 경향이 있다고도 한다.[19] 고소득이 기대되는 고등 교육을 마친 여성이 일과 가정을 성공적으로 양립하고 있다는 의미다.

　자녀가 있는 여성이 노동 시장에 복귀하는 형태도 한국과 다르다. 불평등이 심한 국가에서는 양질의 일자리를 갖고 있었던 여성이라고 해도, 경력 단절 이후 비슷한 수준의 일자리로 재진입하기가 어렵다. 국가 차원에서 제공하는 복지도 적고, 고용 보호도 약하기 때문에 자녀 양육을 위해 시간제 노동을 선택할 가능성도 높다. 2000년대 초반 미국은 생후 6개월 이상 자녀를 둔 여성의 42퍼센트가 주당 근로 시간이 30시간이 넘는 정규직에 종사하고 있는 것으로 조사됐다. OECD에 따르면 미국 여성의 풀타임 고용률은 높은 편에 속한다. 2014년 OECD 17개국을 대상으로 한 조사에서 미국 여성의 풀타임 고용률은 82퍼센트로 조사 대상 평균 70퍼센트보다 높았다. 반대로 파트타임 점유율은 조사 대상 평균 73퍼센트보다 낮은 66퍼센트였다.[20]

한국 여성의 학력에 따른 노동 시장 참여 정도를 분석한 연구가 있다.[21] 2005년과 2013년 상황을 비교해 보니, 전문대 졸업 이하 여성과 4년제 대졸 이상 여성의 고용률에 차이가 있었다. 2005년 전문대 졸업 이하의 연령별 고용률은 M자형 곡선을 보이는 반면에, 4년제 대졸 이상의 연령별 고용률은 L자 형태에 가까웠다. 노동 시장에서 나가면 다시 진입하기 어렵다는 뜻이다.

2013년에는 2005년에 비해 모든 연령에서 고용률이 증가했고, 40대 후반 여성의 경제 활동 참가율도 높아졌다. 하지만 80퍼센트에 근접하던 20대 후반 고학력 여성의 경제 활동 참가율은 30대 중반에는 60퍼센트로 떨어졌고, 30대 후반이 되면 50퍼센트로 떨어졌다. 재진입이 활발한 시점은 50대 초반으로 70퍼센트에 달하지만 그마저도 급격하게 하락하는 모습을 보였다.

1980년대부터 2011년까지 여성의 경제 활동 참가율과 합계 출산율, 경력 단절 지표를 사용해 여성의 일·가정 양립 지수를 만드는 연구를 진행한 적이 있다.[22] 결과는 참담했다. 한국은 비교가 가능한 OECD 18개국 중에서 여성의 경제 활동 참가율과 합계 출산율이 최하위 수준이었다. 반면 경력 단절 정도는 가장 높게 나타났다.

경제 활동 참가율은 15세부터 64세까지 전체 여성 인구 대비 경제 활동을 하거나 일할 의사를 가진 인력의 비율이다. 구직 의사를 가진 실업자까지 포함하기 때문에 여성의 노동 시장 참여에 대한 사회 전반의 분위기를 파악하기에 유용하다. 한국의 경제 활동 참가율은 최저 수준에 머물렀다. 1980년대부터 2010년대까지 한국 여성이 지속적으로 노동 시장에 참여하지 못했다는 의미다. 동시에 합계 출산율은 세계 최저 수준이었다. 합계 출산율이란 한 여성이 가임 기간인 15~49세에 낳을 것으로 기대되는 출생아 숫자다. 한 사회의 출산 수준을 비교하기 위해 가장 많이 사용되는 지표이기도 하다.

2000년부터 2011년까지 국가별 합계 출산율의 평균을 구한 결과, 미국이 2.1명으로 가장 많은 자녀를 낳는 것으로 나타났다. 한국은 1.22명으로 비교 대상국 중에서 가장 낮은 수치를 기록했다. 출산율은 더 낮아지고 있다. 합계 출산율이 1.3명 이하이면 초저출산 국가로 분류하는데, 2017년 한국의 합계 출산율은 1.05명이다.[23] 여성들은 점점 더 아이 낳기를 꺼리고 있다.

경력 단절이 적은 사회는 연령별 경제 활동 참가율이 역U자형 모양을 그린다. 20대에서 40대 초반까지는 경제 활동 참가율이 증가하다가 40대 후반부터 감소하기 시작하는 형태다. 이에 반해 출산과 양육으로 경력 단절이 발생하면 그래프가 M자 형태를 보인다. 20대에는 여성의 경제 활동 참가율이 비교적 높은 상태에 있지만 출산, 양육으로 인해 20대 중후반부터 30대에 접어들며 참가율이 감소하는 형태다. 자녀를 어느 정도 키우고 난 50대 초반부터 증가 추세를 보이지만 60대부터 다시 크게 감소한다. 연구 결과 동아시아 국가들은 대체로 경력 단절이 뚜렷하게 나타나는 M자형 그래프를 보였다. 한국은 동아시아 국가 중에서도 경력 단절이 가장 심한 나라였다.[24]

한국의 여성들에게는 노동 시장에서의 문제를 해결해주는 정책이 필요하다. 여성의 일자리 문제가 해결되지 않으면 출산율도 높아질 리 만무하다. 한국 사회에서 여성이 아이를 낳지 않는 가장 큰 이유는 출산이 직장 생활에 타격을 준다는 것을 알고 있기 때문이다. 양질의 일자리에 대한 욕구를 간과한 채로 출산 자체만을 지원하는 정책은 직장 생활에서의 성공을 목표로 공부한 여성에게는 효과가 없는 제도다.

남성들의 사회에서 살아남기

한 연구 모임 회식 자리에서 있었던 일이다. 유독 남성이 많은 자리였다. 식사가 한창일 무렵, 하나둘씩 자리에서 일어나기 시작했다. 단체로 담배를 피우러 나간 모양이었다. 맞은편에 앉아 있던 한 남자 박사가 말했다. "같이 안 가세요?"

당시에는 이 질문이 어떤 의미인지 몰랐다. 시간이 흘러 동료의 설명을 듣고서야 이해할 수 있었다. 거의 모든 직장에서 남성들은 회식 자리에서 중요한 결정을 하는데, 특히 담배를 피우며 한다고 했다. 그래서 술을 즐기지 않거나 담배를 피우지 않는 사람도 회식에 끝까지 남으려 하고 담배를 피우러 나간다는 것이다. 이런 경향이 최근에는 많이 줄고 있지만 회사 내부의 보이지 않는 남성 중심 관계망은 여전히 여성들의 인사 고과에 영향을 미치고 있다.

한국의 기업 내부 노동 시장은 남성 중심의 생계 부양 모델을 실현하는 방식으로 대기업에서 형성되고 발전했다. 기업은 남성을 충원해 가족 부양을 위한 연공 임금과 안정적인 일자리를 제공해 왔다. 내부 노동 시장으로 진입이 제약된 여성은 비정규직이나 영세 기업에 취업해 외부 노동 시장을 채워 왔다. 한국에서는 성별에 따라 노동 시장이 분절되고, 고학력 여성의 취업 유인이 약화됐기 때문에 미국처럼 일반 교육으로 인한 여성 고용 프리미엄 효과가 높을 수 없었다. 양질의 일자리에서 여성을 배제하거나 승진에 있어서 여성을 장벽에 부딪히게 하는 구조적 기제가 작동했다.

한국의 성별 직업 분리와 고용 형태의 젠더 차이에 주목한 연구들은 한국 노동 시장의 성별 분리가 수직적, 수평적 분리 모두에서 여성에게 불리한 결과를 낳았다고 강조한다.[25] 한국의 경우 1990년대 이후부터 여성의 고용률이 증가하기는 했지만, 늘어난 인력이 여성 중심 직종에 몰리는 바람에 성별 직종 분리는 더 심화됐다는 것이다.

외환 위기로 인한 구조조정은 여성 정규직을 비정규직화하는 과정이었다.[26] 2008년의 글로벌 경제 위기는 여성 노동 시장에 추가적인 타격을 가했다. 외환 위기 당시 실업 사태의 핵심은 대기업의 구조조정이었고, 상대적으로 안정된 일자리를 가지고 있던 남녀가 고용 불안을 겪었다. 그러나 2008년 글로벌 경제 위기는 한국 여성 노동 시장의 비정규직화가 진행될 대로 진행된 후에 발생한 일이었기에 다양한 형태의 불안정 노동이 추가로 충격을 받았다.[27]

최근까지 고학력 여성의 노동 시장 참여가 저조한 현상은 이중 노동 시장 구조와 긴밀히 연결되어 있다. 남성 중심의 내부 노동 시장이 형성되어 있는 한국에서는 내부 권력이 남성에게 집중된다. 공식 조직이 남성의 연결망 중심으로 구성될 가능성이 크다. 대부분의 남성 중심 조직은 남성의 경험이나 남성 중심의 기준이 능력의 개념을 결정짓게 된다. 이런 상황에서 고학력 전문직 여성은 자신의 업적과 능력을 낮게 평가받을 수밖에 없다는 구조적 제한을 경험한다.[28] 전문직이나 관리직에는 여성이 진입하기 어렵다는 문제 외에도, 업무상의 차별이나 승진 기회 차별, 여성을 전문직 종사자로 인정하지 않고 무시하는 고객의 태도, 남성 위주의 문화와 관행이 존재하고 있다.

남성 위주 문화의 또 다른 사례는 장시간 근로가 회사에 대한 충성심으로 평가받는다는 점이다. 장시간 근로가 인사 고과에 영향을 미치면, 일과 가정을 동시에 지켜야 한다는 압박을 받는 여성들에게는 불리할 수밖에 없다. 그래서 많은 학자들이 일과 가정의 양립, 일과 생활의 균형을 논할 때 근로 시간 단축을 빼놓을 수 없는 문제로 지적해 왔다.

그러나 저임금, 장시간 노동 관행은 여전히 노동 시장에 남아 있다. 한국의 근로 시간은 주 40시간제를 기본으로 미사용 연차 휴가에 대한 보상 제한 등의 조치를 취하고 있지만 장시간 근로는 근본적으로 개선되지 못하고 있는 실정이다.

한국의 근로자 1인당 연평균 근로 시간은 2007년 기준 2316시간으로 OECD 30개 국가 중에서 가장 길다. 2017년에는 2024시간으로 줄기는 했지만, OECD 평균인 1759시간에 비하면 265시간이나 길다. 장시간 일하는 노동자의 비중도 압도적으로 높다. 일본의 노동 정책 연구·연수 기구는 2016년 주 49시간 이상 근무하는 노동자의 비중을 국가별로 비교 연구했다. 한국은 전체 근로자의 약 32퍼센트가 장시간 근로를 하고 있는 것으로 나타났다.[29]

장시간 노동은 한국 여성의 일과 가정 양립에 부정적인 영향을 미쳤다. 장시간 근무는 충성심의 지표로 간주되어 근무 평가에 반영된다. 가정 내의 재생산 활동을 전담해야 하는 유자녀 여성에게 장시간 근무는 쉽지 않다. 아이가 있는 여성은 직장 생활에서의 불이익을 감수하고 아이를 돌보기 위해 일찍 퇴근해야 한다. 결국 직장 경력을 위해서 출산을 포기하거나, 노동 시장에서 이탈해 주부로 남는 옵션 중에 하나를 택해야 하는 상황에 놓이게 된다. 국가 차원에서는 일하는 여성이 어떤 선택을 하든 문제가 생긴다. 많은 여성이 출산을 포기하거나 아이를 적게 낳을 경우 저출산 문제를 해결할 수 없고, 이들이 전업주부로 돌아서면 노동력 손실이 상당할 것이다.

한국 사회의 장시간 근로 문화는 노동 시간과 보육 시스템의 불균형을 초래한다.[30] 장시간 노동은 구조화되어 있기 때문에 전반적인 사회 구조와 경제 구조가 변화하지 않는 한 사라지기 쉽지 않다. 일부 기업에서 유연 근무 제도를 실시하는 등의 긍정적인 시도가 이어지고 있지만, 기업 문화와 경쟁, 성과주의 등 다양한 요인으로 인해 부분적으로만 활용되거나 실제 활용률은 상당히 낮은 편이다. 생애 주기의 특정한 시기나 근로자 개인 또는 가정의 필요에 의해 고용을 유지하면서도 근무 시간을 탄력적으로 유연하게 조정할 수 있는 제도들은 제한적이다. 육아기 근무 시간 단축 제도, 부모 육아휴직 제도 등도 기업 문화나 인식의 부재로 활용되지 않고 있다. 장시간 노동을 하지 않을 수 없고, 제도가 있어도 불이익을 받지 않고 사용하기에는 불안하다.

직장이 있는 여성에게 일과 가정의 양립보다 우선시되는 문제는 직장 안에서 자신의 능력을 선보일 기회가 얼마나 많이 주어지느냐다. 직장에서의 미래 보장은 현재의 경력에도 영향을 미친다. 아무리 열심히 노력해도 남성 동료에 비해 승진에서 밀린다는 선례가 있다면 직장 생활을 포기할 가능성은 높아진다.

여성의 경력 단절은 유리 천장이라고 불리는 직장 내의 보이지 않는 장벽과 무관하지 않다. 한국은 단단한 유리 천장을 가진 국가다. 영국의 시사 주간지 《이코노미스트The Economist》는 매년 3월 8일 여성의 날을 기념해 여성의 사회 진출 및 기업 내 승진 기회를 보여 주는 유리 천장 지수glass-ceiling index를 발표하고 있다. 2017년 한국은 비교 대상이 되는 29개 국가 중에서 최하위를 차지했다. 미국보다도 순위가 낮았다.

미국은 스웨덴 등 북유럽 국가 같은 복지 국가도 아니고, 불평등으로 대표되는 어두운 측면이 있는 나라인데도 그렇다.

한번 직장을 포기한 여성은 나이가 많다는 이유로 노동 시장에 재진입하지 못한다. 업무와 관련된 식사 자리에서 한 여성분을 만난 적이 있다. 내가 박사 학위를 따고 정부 기관에서 일하고 있다고 소개하니 그가 말했다. "저도 박사인데 지금은 아무것도 안 해요."

그는 자신의 나이가 몇 살처럼 보이느냐고 물었다. 마흔 정도로 보인다고 했더니 웃으며 이렇게 말했다. "쉰 넘었는데, 그렇게 안 보이죠? 내가 외모 관리에 신경을 좀 쓴답니다. 나이가 덜 들어 보여야 시간제 일자리라도 채용될 것 같아서요. 50대 중반인 사람이 시간 강사 자리를 얻을 수 있겠어요? 아이 낳고 경력 단절이 되니 직장으로 돌아가기 정말 쉽지 않아요. 해외에서 박사 학위 받으면 뭐해요."

그는 정부의 일자리 중개 사업에도 관심을 보였다. 그러나 평균 급여에 대해 듣고는 너무 적은 금액이라며 아쉬워했다. 정부 기관에서 경력 단절 여성을 위해 알선하는 일자리는 대부분 180~190만 원 수준의 임금을 준다. 고학력 여성이 기대하는 것에 비해 적은 금액이다.

국가 주도의 여성 경제 활동 촉진법 사각 지대는 고학력 여성이라고 말할 수 있다. 일자리의 미스 매치는 고학력 여성만의 문제는 아니지만, 여성의 노동 시장 환경 개선을 위해서는 고학력 경력 단절 여성들의 일자리 마련에도 관심을 기울여야 한다. 이들이 노동 시장에 참여하지 못하는 것은 당사자는 물론, 고급 인력을 활용하지 못하는 국가와 기업 모두에게 손해이기 때문이다.

엄마 되기를 거부합니다

고학력 중산층 전업주부

일하지 않아도 될 정도의 경제력이 있었다면 아이를 위해서
당장 육아 휴직을 사용했을 것이다. 아이가 유치원에 다닐 때
까지는 그럭저럭 괜찮았다. 아이의 초등학교 입학은 우리 가
정에 엄청난 타격을 안겼다. 대전 소재의 연구원에 취직하고,
서울에서 대전으로 이사를 준비할 때였다. 우리 부부는 집보
다 먼저 아이를 돌봐 줄 사람을 구하느라 분주했다. 가장 먼
저 정부에서 실시하는 아이돌보미 사업에 지원했다. 월 소득
이 해당 사업 지원 대상에서 벗어나는 고소득 계층으로 분류
돼 지원금은 받을 수 없었지만 신청은 해볼 수 있었다. 그런데
현 주소지가 서울로 되어 있어 이사하기 전까지는 사업에 지
원할 수가 없었다. 신청 기간도 정해져 있었다.

당시 나는 연구 위원이라는 비교적 높은 직책을 맡기는
했지만 함부로 거취를 결정하기 힘든 새내기 직원이었다. 정
부 사업은 입사한 지 1년도 되지 않은 직장인에게는 버팀목이
되어 주지 않았다. 결국 지인을 통해 소개 받은 아주머니에게
아이를 맡기기로 했다. 그런데 초등학교에 입학한 딸이 학교
만 가면 책상에 엎드려 있거나, 배가 아프다며 보건실을 들락
날락했다. 새 학기 증후군을 겪고 있는 거였다. 결국 담임 선
생님에게서 연락이 왔다. "어머니, 힘드시겠지만 아이 등교는
어머님이 함께하시면 좋겠습니다."

다행히 직장에는 유연 근무제가 있었다. 지방 정부 차원에서 유연 근무를 장려하라는 공문이 내려온 터라 어렵지 않게 출퇴근 시간을 조정할 수 있었다. 등굣길을 함께한 후부터 아이가 변하기 시작했다. 용기 있게 교실로 들어갔고 수업에도 적극 참여했다. 하지만 내가 동행하지 않는 학원에서의 불안은 여전했다. 도우미 비용에 월급의 상당 부분을 할애하고 있었지만, 아이는 수시로 전화해 불안을 토로했고 도우미 아주머니는 아이가 말을 듣지 않는다며 짜증을 냈다. 돈은 많이 쓰는데 도무지 업무에 집중할 수가 없었다. 그렇게 3개월이 지났다.

남편과 상의해 시댁에 도움을 구했다. 쉽지 않은 결정이었지만, 시어머니께서는 상황을 듣자마자 보따리 하나만 들고 대전으로 와주셨다. 시어머니께도 꽤 힘든 생활이었다. 주중에는 우리 집에 머물면서 아이를 학교와 학원에 보내고, 주말에는 본가에서 일을 보셨다. 물론 시어머니께도 적지 않은 돌봄 비용을 지불하고 있다. 그러나 도우미에게 지급해야 할 만큼은 아니고, 무엇보다 아이에게 엄청난 안정감을 제공할 수 있기에 더할 나위 없는 선택지다.

하지만 모든 여성이 유연 근무를 신청하고, 아이를 돌봐 줄 가족을 찾을 수 있는 것은 아니다. 나는 운이 좋은 편에 속한다. '시어머니 찬스'를 사용할 수 없었다면 지금쯤 연구

실 책상에 앉아 있지 못했을 것이고, 연구원은 성실하고 열정 넘치는 박사급 여성 인력을 잃었을 것이다. 여전히 우리 사회에서 육아는 정부가 아니라 가족에 의존할 수밖에 없는 구조다. 아이를 가진 직장 여성인 내가 일을 그만두지 않을 수 있었던 이유는 국가의 저출산 지원 사업도 아니고, 아동 수당이나 보육 지원도, 여성을 위한 일·가정 양립 정책도 아닌, 가족의 희생이었다.

상식적으로는 여성의 학력이 높아지고 사회 진출이 활발해지면 부모 대신 아이를 돌봐 주는 베이비시터 등 가사 노동의 외주화 규모가 커져야 한다. 그러나 한국은 공공 보육 서비스가 취약한 나라인데도 다른 국가에 비해 가사 노동 시장의 규모가 작다. 그 이유는 고학력 여성의 저조한 노동 시장 참여와 밀접하게 관련되어 있다. 남성 중심의 기업 내부 노동은 저학력 여성보다 고학력 여성에게 더 높은 장벽을 세운다. 고학력 중산층 주부는 아이를 낳으면 직장을 그만두고 가사 노동을 맡는다. 집에서 아이를 보는 여성이 많으니 외부에 가사 노동을 맡기는 일이 줄어든다.

해방 이후 한국 사회에서 이상적인 가족 모델은 남성이 가장으로 생계를 책임지고, 여성이 가사 노동을 전담하는 남성 1인 생계 부양자-여성 보살핌 노동 전담자 형태였다. 이 모델은 남성의 임금이 온 가족을 부양할 수 있는 수준이 되어야 제대로 유지될 수 있다. 그러나 한국 경제가 한창 성장할 때도 남성 혼자 모든 가족을 부양할 수 있을 정도로 높은 임금을 버는 경우는 적었다. 실제로는 여성이 가사 노동을 전담하며 생계를 보조할 수 있는 활동까지 병행하는 가정이 많았다. 남성의 벌이로만 온 가족이 유지되고, 여성이 집에서 가사 일에만 집중하는 모델은 중산층 이상에서나 가능했다.[31]

　맞벌이 부부가 일반적인 형태가 된 지금은 가사 노동을 공평하게 분담해야 한다. 그러나 유자녀 가정의 자녀 양육 행태를 조사 분석한 연구 결과를 보면, 여성이 남성에 비해 더 많은 집안일을 부담하는 양상은 수십 년 전이나 지금이나 다르지 않다. 미취학 자녀를 둔 여성을 대상으로 육아 시간과 가사 시간을 조사했더니 맞벌이 부부인 경우에도 여성이 남성에 비해 더 많은 시간을 투입한 것으로 나타났다. 맞벌이 부부의 평일 기준 평균 육아 투입 시간을 보면 여성이 4.3시간, 남편이 1.3시간이었다. 맞벌이 부부가 아닌 경우 여성은 6.7시간, 남편은 1.2시간으로 그 차이가 더 컸다.[32]

　여성이 육아와 가사에 더 많은 시간을 쓰는 구조는 가부장적인 사회 문화 탓일까. 조사 결과에 따르면 여성은 학력이 높고 소득이 많을수록 가사나 육아를 공평하게 부담해야 한다고 생각한다. 그런데 여성들도 육아에 전념해야 하는 시기가 있다는 것에 공감하고 있었다. 미취학 자녀를 둔 여성에 대한 조사에서 엄마들은 아이를 시설에 맡기지 않는 이유를 묻는 질문에 아이가 너무 어려서(67.6퍼센트), 내가 직접 키우는 것이 정서 발달 등에 더 좋을 것 같아서(19.2퍼센트)라고 답했다. 부모에게 아이를 스스로 돌보고 싶다는 욕구는 당연한 것이다. 돌봄 서비스에서 완벽히 채울 수 없는 공백이 있기 마련이다. 문제는 스웨덴처럼 아이가 어릴 때 부모가 양육에 오랜 시간을 투자할 수 있는 제도가 없다는 것이다. 한국에서는 유자녀 여성의 자녀를 직접 돌보겠다는 결정이 경력 단절 또는 노동 시장 진입 포기로 연결된다.

우리나라의 20~44세 미혼 남녀를 대상으로 여성의 이상적인 결혼 연령에 대해 물었다. 남녀 모두 고학력일수록 여성의 초혼 연령을 늦춰 말하는 경향이 있었다. 미혼 여성 중 취업 상태인 응답자의 경우, 여성의 이상적인 결혼 연령을 더 높게 응답하는 것으로 나타났다. 결혼해도 자녀를 가지지 않을 수 있느냐는 질문에는 여성의 60.9퍼센트, 남성의 47.4퍼센트가 찬성했다. 미혼 여성 응답자의 과반수가 출산에 대해 부정적인 인식을 가지고 있었다. 학력 수준이나 연령에 따른 차이도 크지 않았다. 35세 미만의 미혼 여성에게 현재까지 결혼하지 않은 이유를 물어본 결과 결혼할 생각이 없어서(25퍼센트)가 가장 많은 공감을 얻었고, 결혼보다 내가 하는 일에 더 충실하고 싶어서(12.5퍼센트), 결혼 생활과 직장 일을 동시에 수행하기 곤란하고 사회 활동에 지장이 생기므로(11.7퍼센트)라는 답변이 뒤를 이었다.

2017년 한 대학에서 복지 정책을 강의하던 때의 일이다. 수업에는 80여 명의 학생들이 있었다. 저출산 대책이 꼭 필요한지, 복지 정책이 여성을 위한 것인지를 주제로 이야기하고 있었다. 남학생 네 명과 여학생 네 명에게 아이를 몇 명 낳고 싶은지 물었다. 남학생들은 최소 두 명을 낳고 싶다고 했다. 연봉이 충분하면 그보다 더 많이 낳을 거라는 의견도 있었다.

반대로 여학생들은 '결혼 생각이 없다', '결혼은 해도 아이는 절대 낳지 않겠다'고 답했다. 여학생들은 자녀 출산과 양육으로 인해 자신이 피해를 입을 것이 자명하다고 했다. 특히 자기 꿈을 버리면서 자녀의 입시 경쟁에 최선을 다했던 엄마의 모습에 많은 영향을 받은 것 같았다. 그들의 희생에 감사하면서도 '절대 엄마처럼 살지 않겠다'는 결심을 했다고 입을 모았다.

대학에서 강의할 때마다 난처한 입장이었다. 간혹 학생들 중에 왜 저출산이 문제가 되냐고 묻는 경우가 있다. 아이를 낳아 놓고 제대로 책임지지 못할 거라면 아이를 낳는 게 무슨 의미가 있느냐는 의미다. 이런 견해를 밝히는 학생들 앞에서 나는 고민에 빠지곤 했다. 복지 정책을 연구하는 입장에서는 저출산 문제가 향후 우리나라에 미칠 부정적 영향에 대해 설명해야 했다. 국가 경제가 잘 굴러가려면 생산 가능 연령인

15~64세에 해당하는 인구수가 어느 정도인지가 중요하다. 적어도 지금 수준으로 경제가 유지되려면 남녀 한 쌍이 결혼해서 자녀를 둘 이상 낳아야 한다. 하지만 실제로 아이를 키우는 직장 여성으로서는 아이 낳기를 권하기가 어려웠다. 출산율 높이기는 사회적으로 바람직한 것이나, 사회 진출을 꿈꾸는 고학력 여성에게는 여전히 무거운 짐이다. 한국에서 젊은 여성이 학습한 엄마 되기의 과정은 직장 생활과 양립하기 어려운 것이 분명하다.

돌봄의 개인화

아이가 외로움을 느낄 때마다 동생이 하나 있으면 좋겠다고 생각하지만 아이 하나를 건사하기에도 우리 부부의 삶은 고단하다. 결혼 초기 부모님의 도움을 받을 수 없는 처지였기에 퇴근할 때까지 아이를 봐줄 수 있는 직장 내의 어린이집을 이용했다. 15개월부터 보냈던 곳인데, 일곱 살이 되던 해에 보육 수요가 폭증하면서 반 정원이 두 배로 늘었다.

아이가 머리를 다쳤다는 소식을 듣고 응급실로 달려갔던 날이 생생하다. 응급실에서 만난 아이의 모습은 생각보다 멀쩡했다. 어린이집 선생님이 흘러내린 피를 닦고 옷을 갈아입혔다고 했다. 말끔한 매무새에 안도했던 것도 잠시, 아이의 발을 보고 끝내 주저앉아 울었다. 발바닥 전체가 빨간 피로 물들어 있었다. 당시 나는 국회 입법조사처에서 아동 보육 담당 입법조사관보로 일하고 있었다. 우리나라의 아동과 보육 정책을 논하는 일을 하면서 정작 내 자식을 돌보지 못한 죄인이라는 생각이 머릿속을 떠나지 않았다.

돈이 많이 들더라도 소수의 정원으로 운영하는 영어 유치원에 아이를 보내기로 했다. 조기 교육에 관심이 많아서도, 형편이 넉넉해서도 아니었다. 근처의 일반 유치원은 대기 명단이 가득 찼고, 하원 시간도 오후 3~4시로 빨랐다. 하원을 도와 줄 도우미를 구하거나 학원으로 '뺑뺑이'를 돌려야 하는 상황이었다. 영어 유치원은 추가 비용을 내면 6시까지 아이를 맡길 수 있었다.

아이 돌봄의 문제를 국가가 나서서 해결해 준다면 얼마나 좋을까. 그러나 국가 정책은 내게 해결 방안이 되어 주지 못했고, 시장에서 제공하는 비싼 방법을 택해야 했다. 경제적 여유가 없는 가정이었다면, 엄마인 내가 아이를 위해 직장을 그만뒀을 것이다. 돌봄이 사회화되지 않은 나라에서 직장 일과 아이 돌봄, 장시간 근로에 대한 압박이 더해지면 여성은 노동 시장 진입을 포기하게 된다.

한국의 공공 보육 서비스에 대한 만족도는 매우 낮은 수준이며, 보육 교사에 대한 처우도 열악하다. 한국의 보육 관련 서비스는 스웨덴처럼 공공 보육 서비스를 통해서가 아니라, 민간 보육 시설에 의존해 급격하게 확대됐다.[33] 1991년 영유아보육법 제정 이래 민간 보육 시설의 설립이 자유로워졌고, 1995년에는 보육 확충 3개년 계획을 통해 보육 시설의 민간 참여 유인을 늘렸다. 1997년에는 보육 시설 설립을 인가제에서 신고제로 바꾸면서 양적 확대가 궤도에 올랐다. 1990년대 경제 위기가 도래하고, 2000년대 초반부터 저출산이 사회적 화두가 되면서 정부는 보육 시설을 늘리도록 했다. 김대중 정권에서 노무현 정권으로 이어지는 10년 동안 여성의 경제 활동을 지원하고 양육 부담을 줄일 수 있는 보육에 대한 관심은 더 커졌다. 진보에서 보수로 정권이 교체된 이후로도 이런 기조가 유지된 덕에 0~5세 무상 보육과 양육 수당 지급이라는 성과가 나왔다.

한국 정부는 2016년 7월부터 맞춤형 보육 정책을 실시하고 있다. 아이와 부모의 다양한 요구에 맞춰 보육 지원을 다양화하겠다는 취지다. 맞벌이 가정에는 장시간의 충분한 돌봄 서비스를 제공해 일·가정 양립을 지원하고, 가정 내에서 아이를 돌볼 수 있는 경우에는 필요한 시간에만 서비스를 제공해 건강한 성장을 돕는다는 것이다. 이런 정책이 만들어진 배경에는 어린이집이 보육 수요를 감당하지 못한다는 현실적인 문제가 있다. 어린이집 지원이 간절한, 일하는 엄마에게 기회를 먼저 줄 필요가 있다는 의미로 보인다.

그러나 맞춤형 보육 정책은 말도 많고 탈도 많다. 0~2세를 대상으로 무상 보육을 실시하던 종래의 방식에서 부모의 취업 여부와 자격 심사를 거쳐 12시간 종일반과 6시간 반일반, 15시간 긴급 교육 바우처 등으로 지원 내용이 달라졌기 때문이다. 우선 취업 여부와 자격 심사라는 조건은 비공식 노동자들을 배제하는 결과를 낳았다. 비공식 노동자는 기관의 보육 서비스를 이용해야 하는 이유를 서류 한 장으로 설명하기 어렵다. 정부의 지원 방식은 비공식 노동자가 자신의 처지를 구구절절 글로 남겨 담당 직원에게 보내야 하고, 급여 증명을 위해 생활비 통장을 증빙 서류로 제출하게 만들었다.[34]

다른 돌봄 지원이 필요하지 않을 정도로 충분한 서비스가 제공되는 것도 아니다. 시간 연장이 가능한 어린이집을 찾는 것이 하늘의 별 따기다. 워킹맘들 사이에는 어린이집에서 늦게까지 아이를 맡기는 부모들을 꺼린다는 소문까지 돌았다. 아이를 맡길 엄마들은 오후 4시 이후 어린이집에 머무는 아이들이 얼마나 되는지부터 확인한다. 내 아이만 남아 구박을 받지는 않을까 하는 걱정 탓이다. 어린이집은 어린이집대로 고충이 있었다. 변화된 정책에 발맞출 인력이 부족한 상황이고, 맞춤형 보육 교사의 인건비는 축소되어 보육 교사들의 소진 현상은 갈수록 심각해지고 있다.

사실 직장 여성의 자녀 돌봄을 위해 가장 좋은 방안은

직장 내 어린이집이다. 어린 자녀와 함께 출퇴근이 가능하고, 간간이 아이 상태를 확인할 수 있다면 그보다 좋은 조건이 없다. 한국은 상시 여성 근로자 300명 이상 또는 근로자 500명을 고용하는 단위 사업장이 직장 어린이집을 의무적으로 설치하도록 규정하고 있다. 의무 설치 대상 사업주는 직장 어린이집을 단독으로 설치하거나, 지역 어린이집과 위탁 계약을 체결함으로써 근로자의 자녀 보육을 지원해야 한다.

하지만 여기에도 문제가 있다. 상시 여성 근로자 300명 이상 또는 근로자 500명 이상 대기업 종사자만 혜택을 누릴 수 있다는 점이다. 직장 어린이집 설치 의무 대상인 사업장은 전체의 6~8퍼센트밖에 되지 않는다.[35] 해당 사업장의 보육 수요가 다 충족되는 것도 아니다. 보육 수요에 넉넉하게 대응할 수 있는 사업장이 한국에 얼마나 있을까. 중소기업과 소규모 영세 사업장 근로자들에게 직장 어린이집이란 먼 나라 이야기와 같다. 중소기업이나 영세 사업장에 일정 비용을 지원해 주고 직장 어린이집을 설치하도록 강제하는 것도 쉬운 일이 아니다. 정부에서 마련한 수많은 정책은 일하는 여성이 아이를 맡길 곳이 없다는 문제를 여전히 해결하지 못하고 있다.

2018년 6월 모교에서 강연했을 때가 떠오른다. 내가 쓴 논문이 연세대학교 복지 국가 연구 센터의 최우수 논문으로 선정돼 특별 강연차 방문한 것이었다. 다양한 전공을 가진 학생들과 연구자들이 참석했다. 강연 후에 한 남성이 이런 질문을 했다. "제가 아는 고학력 여성은 시간제 일자리를 선호하던데요. 요즘은 양질의 시간제 일자리도 많아요. 발표하신 내용은 제조업 중심 시기에나 해당되는 내용 아닌가요?" 시간이 충분하지 않아 긴 이야기를 하지 못했다. 만약 내게 조금 더 시간이 있었다면 이렇게 말했을 것이다. "여성들이 정말로 시간제 일자리를 선호한다고 확신할 수 있나요? 왜 시간제 일자리를 택할 수밖에 없는지 고민해 보시기 바랍니다."

여성이 노동 시장에서 한번 퇴장하면 다시 돌아올 수 없는 구조에서 시간제 일자리 확산은 커리어 쌓기에 아무런 도움이 되지 않는다. 시간제 일자리가 여성의 일과 가정 양립에 도움이 되려면, 시간제 일자리의 급여 수준 및 복리 후생이 정규직 일자리와 비슷한 정도가 되어야 한다. 이런 조건이 충족되지 않은 상태에서 시간제 일자리 정책의 남발은 성별 직종 분리 현상을 더 심화시키고, 여성을 핵심 노동 시장에서 밀려나게 만들 수 있다.

지인에게 비정규직 노동자의 설움에 대해서 들은 적이 있다. 그는 1년 계약으로 입사한 지 4개월이 지난, 7개월 차 임신부였다. 입사 시험을 치를 때만 해도 자신이 임신 중인지도 몰랐다고 했다. 입사와 동시에 임신 소식을 들었는데, 고용에 문제가 생길까 봐 회사에 알리지 못했다. 입사를 축하하기 위한 자리에서도 감기약을 먹는다는 어설픈 이유를 대며 술잔을 거절했다. 그러나 입덧이 시작되고 더 이상 감출 수 없는 지경이 되자 그제야 임신 사실을 밝혔다. 그는 출산 휴가는 쓰겠지만 육아 휴직은 안 되겠다고 단호하게 말했다. 1년밖에 계약하지 않았는데 육아 휴직을 사용하면 자기 일은 누가 하냐는 것이다. 자리를 잃는 것이 두려워 남편이 육아 휴직을 쓰는 방향을 고민하고 있다고 했다.

한국의 출산 전후 휴가 제도는 근로기준법 제74조에 기반을 두고 있다. 여성이 자녀를 낳는 경우 출산 전후로 90일의 휴가를 보장받을 수 있다. 법적으로 모든 여성 임금 근로자는 이 제도를 통해 휴가를 사용할 권리가 있다. 2005년부터는 출산 휴가 급여 90일분을 모두 고용 보험에서 지급하도록 사회 보험 지급이 확대됐다. 법령의 정비는 일정한 효과를 거뒀다. 기혼 여성의 출산 전후 휴가 사용 경험을 조사한 결과, 2001년 이전 출생아를 둔 여성보다 2010년 이후 출생아를 둔 여성의 사용 경험이 많았다. 최근 10년간 국가 정책 기조가 일·가정 양립을 강조하는 방향으로 바뀌었고, 가부장적 사회 문화가 약화한 결과로 해석할 수 있다.

그러나 제도가 모든 노동자를 포용하지는 못하고 있다. 상용직 여성과 임시직 혹은 일용직 노동자 간의 불평등은 상존한다. 상용직 여성은 출산 전후 휴가를 사용하는 비율이 높지만, 임시직이나 일용직 노동자의 경우에는 사용률이 매우 낮다. 게다가 출산 전후로 경력 단절을 경험한 대부분의 여성이 출산 전후 휴가를 사용하지 못하고 퇴사한 것으로 조사됐다. 고용 보험 의무 가입 대상이 아닌 특수 고용 노동자와 프리랜서를 포함한 자영업자도 출산 전후 휴가 급여의 수급 대상이 아니다. 고용 보험 가입 대상임에도 불구하고 가입하지 않고 있는 영세한 사업장 근로자와 비정규직 근로자도 출산 휴가 급여를 받을 수 없는 실정이다. 고용 보험과 건강 보험의 대상이라 해도 피보험 단위 기간이 180일을 충족하지 못할 경우가 있어 제도 안에서도 사각지대가 있다.[36]

육아 휴직의 사용 실태는 출산 휴가보다 더 심각하다. 여성의 육아 휴직 사용 경험을 분석한 결과 상용직의 경우 46.4퍼센트가 사용했지만, 임시직이나 일용직 노동자의 경우 4.7퍼센트만 사용했다.[37] 한국에 육아 휴직 제도가 생긴 것은 1987년 12월 제정된 남녀고용평등법에 생후 1년 미만의 영아를 둔 여성이 육아 휴직을 사용할 수 있다는 조항을 명시하면서부터다. 1995년에는 출산한 여성 근로자를 대신하여 그 배우자인 남성도 육아 휴직을 사용할 수 있게 됐고, 2001년부터는 성별을 불문하고 생후 1년 미만의 영아를 둔 부모라면 모두 각자의 육아 휴직을 사용할 수 있는 방향으로 개정됐다. 2008년부터 도입된 시간제 육아 휴직인 육아기 근로 시간 단축 제도는 주당 15~30시간 근무하며, 연장 근무를 하지 못하도록 규정하고 있다.

현행 육아 휴직 제도에서는 만 8세 이하 자녀가 있는 남녀는 최대 1년 동안 휴직할 수 있다. 그러나 육아 휴직 제도를 이용하는 남성의 비율은 매우 낮다. 출산 전후 휴가 제도처럼 고용 보험의 피보험 대상이 아니거나, 자격 요건이 미달되면 육아 휴직 제도를 활용할 수 없다는 문제도 있다. 출산 전후 휴가 급여를 받는 수급자라 하더라도 일부 영세 사업 근로자나 비정규직 근로자는 육아 휴직 제도를 사용하지 못한다.

아무리 능력이 뛰어난 여성도 아이를 돌봐 줄 사람이 없으면 선택의 길은 하나다. 생물학적 이유에서든, 사회적 분위기와 관습이 혼합된 결과이든 한국 사회에서 육아는 엄마 역할이다. 국가의 지원을 받을 수도 없고, 가족에게 손을 뻗을 수도 없다면 대부분의 가정에서는 엄마가 아이에 대한 책임을 진다. 현 직장으로의 입사와 아이의 입학이 겹쳐 수심이 깊은 나를 보고, 연구원 선배는 지금이 육아 휴직을 써야 할 시기라고 조언했다. 법적인 권리이니 고민하지 말고 쓰라는 응원도 했다. 그는 내게 "당신의 담당 분야가 여성·아동 정책이 아니냐"며 "잔 다르크처럼 멋지게 여성의 권리를 누리는 모습을 보여 줘야 한다"고 했다.

남편에게 육아 휴직을 쓰라고 한 적도 있다. 우리 부부는 마땅한 자산은 없고 소득은 애매하게 높아 모든 정부 지원 정책에서 배제되는 월급쟁이다. 우리 부부의 월급이 아예 한 자리 수가 높았다면 아이를 위해서 과감히 육아 휴직을 사용했을 것이다. 2018년 7월부터 우리나라는 부모가 모두 육아 휴직을 쓰는 경우, 마지막으로 사용한 사람의 육아 휴직 급여를 통상 임금의 100퍼센트로 상향 지급하고 있다. 그러나 육아 휴직 수당은 소득을 충분히 대체하지 못한다. 책상 위에서 다뤘던 육아 휴직 정책은 진보한 것이었는데, 막상 내가 도움을 받으려니 있으나 마나 한 정책이었다.

그나마 공공 기관에서 근무하는 나는 육아 휴직을 유연하게 사용할 수 있는 편에 속했다. 민간 기업이나 대체 인력을 구하기 힘든 소규모 사업장 노동자의 경우는 어떨까. 딸 친구들의 엄마 중에는 육아 휴직을 사용하는 사람들이 꽤 있었다. 그들의 면면을 들여다보면 공공 기관에 종사하는 경우가 대부분이었다. 짧은 육아 휴직 후에 복귀한 경우도 있었다. 초등학교 선생님이라는 그에게 물어보니 유급 휴가 기간까지만 쉬고 바로 복귀했다고 한다.

서른여덟 살에 첫 정규직 직장을 잡은 나는 지금부터 더 공부하고 경력을 쌓고 싶다는 욕구가 강했다. 직장에서도 연구 위원인 내게 거는 기대가 있고, 나도 해결할 일이 많다. 서러운 기억들을 이겨 내고 어렵사리 잡은 직장에서 해야 할 일을 미루면서 육아 휴직을 쓰고 싶지 않았다. 나에게 육아 휴직은 우선순위가 아니다. 월급 전부를 아이를 돌보는 비용으로 쓰더라도 내 책상에서 일을 하고 싶다.

취업한 기혼 여성에게 자녀의 필요성을 설문한 한국 보건 사회 연구원의 2015년 전국 출산력 및 가족 보건·복지 실태 조사에 따르면 자녀가 꼭 있어야 한다는 응답이 60.2퍼센트로 과반수를 차지했다. 이상적인 자녀 숫자는 2.25명이었다. 아이를 낳고 싶은 부모는 충분히 많다는 의미다. 그런데 통계청 자료인 인구 동향 조사를 보면 한국의 합계 출산율은 2016년 1.17명, 2017년에는 1.05명이다. 한국의 저출산 현상은 아이를 낳고 싶지 않은 사람이 많아서가 아니라, 아이를 낳을 수 없는 사람이 많아서 발생한 문제라는 설명이 적절해 보인다.

여성의 노동력이 낭비된다

미국의 중산층 고학력 여성들은 한국에 비해 유리한 지위를 점하고 있다. 미국의 중산층 고학력 여성의 일자리는 크게 네 차례의 변화를 거쳤다. 19세기 이전까지 미국 사회에서도 덕성 있는 어머니와 아내가 바람직한 여성상으로 그려졌다. 한국처럼 가부장적 가족 규범이 강하게 자리 잡지는 않았지만, 살림을 하고 자녀를 기르는 여성에 대한 사회적 기대가 있었음은 분명하다. 그러다 19세기 후반부터 시작된 산업화로 기록 보관 필요성이 높아지고, 화이트칼라라 불리는 사무직 여성에 대한 수요가 늘었다. 늘어난 일자리로 인해 이 시기부터 미혼 여성을 중심으로 노동 시장에서 일하는 여성이 많아지기 시작했다.

1930년대부터는 중산층 기혼 여성의 사회 진출도 늘어났다. 1932년 대공황을 극복하기 위해 프랭클린 루스벨트 전 대통령은 자유방임주의 정책을 버리고, 적극적인 정부 개입을 허용하는 뉴딜 정책을 실시했다. 뉴딜 정책이 미국을 스웨덴과 같은 엄청난 복지 국가로 견인하지는 못했지만, 이 정책이 시행되면서 여성의 정치적 입지와 일자리, 노동 여건이 개선됐다.

이 과정이 순탄하지는 않았다. 대공황은 미국은 물론 전 세계의 경제를 뒤흔든 사건이었다. 경제 상황이 악화되자 일자리가 줄었고, 미국이나 독일 등의 유럽 국가에서는 기혼 여성이 남편의 동의를 받아야 노동 시장에 진입할 수 있다는 법률이 만들어지기도 했다. 그러나 퍼스트레이디였던 엘리노어 루스벨트가 여성 정치인 네트워크를 구성, 뉴딜 정책 내 복지 분야에서 고등 교육을 이수한 기혼 여성들이 진출할 수 있도록 도왔다. 1939년에는 중산층 이상의 남편을 둔 기혼 여성들의 근로 비율이 높아졌는데, 이는 자동차, 세탁기 같은 고급 가정 소비재를 구입하고 자신의 벌이를 자녀 교육에 투자하기 위해서였다. 중산층 가정의 이상적 삶을 위해 일하는 어머니와 아내를 둔 불편함을 가족 내에서 용인해 나갔다.

　여성의 노동 시장 진출에 가장 큰 영향을 미친 것은 전쟁이었다. 미국은 제1차 세계대전 당시에도 전후 효과를 톡톡히 누렸다. 그러나 제2차 세계대전은 그 규모부터 달랐다. 노동 시장의 대부분을 차지하던 남성들이 전쟁터로 나가면서 모든 산업 분야에 일자리 공백이 찾아왔다. 정부와 기업가들은 남아 있는 유일한 노동력인 여성, 특히 기혼 여성을 데려가기 위해 다각도로 노력했다. 미혼 여성만으로는 필요한 노동자 수요를 채울 수 없었기 때문이다. 이 과정에서 동일 노동-동일 임금 캠페인처럼 젠더 차별을 줄이려는 노력들이 시행됐다. 전쟁이 끝나고 남성들이 노동 시장에 복귀하면서 일하는 여성에 대해 자녀를 제대로 키우지 않는다는 비판이 나오기도 했지만, 이미 미국 내에서 기혼 여성의 취업 장벽은 무너진 뒤였다.

　1950년대 중반부터 시작된 민권 운동을 기점으로 여성 운동도 부활했다. 여성 해방 운동이 거세게 일어난 미국 사회는 성차별 문제를 개선하기 위해 적극적으로 노력했다. 경제 불황, 전쟁 시기를 거치면서 노동 시장에 진출한 여성들은 그들의 세력을 조직화하고 있었다. 이들은 여성 해방 운동이 일어나기 이전부터 정부에 차별 시정 정책을 요구했기 때문에, 케네디 대통령은 재임 초기부터 정부 주도로 여성의 지위 문제를 해결하기 위한 조치들을 도입했다.

교육 영역에서도 변화가 있었다. 여성 운동은 전문 대학원을 졸업한 유능한 여성 인력들을 배출했고, 서비스 산업화로 산업 구조가 바뀌면서 여성은 점점 더 경쟁력 있는 인적 자원으로 성장했다. 1970년대까지 미국 여성은 더 전문적인 영역으로 진출하고 있었다. 맞벌이 부부가 일반적인 형태가 된 것은 1970년대 중반부터 2000년대 초반이다. 이 시기에는 여성 운동과 노동 운동이 연합한 결과, 동일한 가치의 노동에 동일한 임금을 지급해야 한다는 취지의 비교 가치comparable worth 운동[38]이 시작됐다. 레이건 정부는 비교 가치 운동을 무력화하려고 했지만, 대부분의 주 정부와 지방 정부가 비교 가치 운동을 지지했다. 이를 통해 여성 노동력이 집중되어 있는 직업군의 임금이 전체적으로 상승했다. 무엇보다 공공 부문의 사무직과 준전문직 여성, 사기업의 핵심 부문에 종사하는 여성들의 임금이 중간 임금 수준으로 상승하면서 중산층 고학력 여성의 노동 의욕을 끌어올리는 데 성공했다.

기업 차원에서도 가족 친화 제도가 확산되어 맞벌이 부부가 증가하는 동력이 됐다. 어떻게 미국 기업은 가족 친화 정책에 드는 지출을 감내하면서 여성 채용을 늘릴 수 있었을까. 유연성이 높은 미국의 노동 시장 환경에서는 우수한 근로자의 이직을 막아야 할 필요성이 있었다.[39] 1980년대 자본의 국제화 여파로 기업 간의 경쟁이 심화되자 미국 사회는 경직된 포드주의 생산 방식을 버리고, 유연한 다품종 소량 생산 방식으로 체질 개선을 시도했다. 기업 입장에서는 대학 교육이 창출하는 높은 수준의 일반 기술을 가지고 있는 노동자가 많아야 경쟁력을 가질 수 있었다.

1990년대 중반부터는 기업가 사이에서 2000년대가 되면 고급 인력이 부족해질 것이라는 위기감이 확산됐다. 미래의 노동 위기에 대처하는 최선의 방법은 다양성 경영 전략이었다. 이로 인해 여성 핵심 인재를 양성하고 보호해야 한다는 인적 자원 관리 붐이 일었다. 기업들은 성과주의를 구현한다는 목표 아래 고학력 여성 인력을 활용하기 시작했다. 여성 고용을 선도한 기업들이 경제적 이윤을 창출하면서 여성 고용은 더 확대됐다. 중요한 것은 기업의 여성 지원 정책이 소수자 혹은 약자 집단을 지원하는 문제가 아니라, 전체 기업의 인력 개발 관점에서 논의됐다는 점이다. 포드의 경우 가족을 위한 자동차를 만들기 위해서는 기업 문화부터 가족 친화적이어야 한다고 판단했다. 포드는 경영상 효율성이 떨어지지 않는 범위 내에서는 철저히 부모의 입장에서 직원의 요구를 수락한다는 원칙을 세웠다.

직무 중심의 시장 임금 체계와 개별 고용 관행은 미국에서 여성 채용을 늘리는 데 중요한 역할을 했다. 미국은 1930

년대부터 노동자 개개인의 기본적 노동권을 보장하는 개별 고용 관계법이 발전했다. 근로자 개인의 능력과 직무에 따라서 임금과 고용 조건을 개별적으로 협상할 수 있었다. 고용주 입장에서는 근로자에게 맡긴 직무와 성과를 기반으로 임금을 조정할 수 있어 여성 채용으로 인해 발생하는 비용 손실을 줄일 수 있다. 이런 구조에서 여성은 고학력이나 자격증 등의 능력을 내세워 임금 협상 과정에서 필요한 조건을 관철시킬 여지가 있다.

미국에서는 맞벌이 부부 가정의 자녀 돌봄 문제가 궁극적으로 기업의 생산성에 부정적인 영향을 미친다는 연구 결과도 축적되기 시작했다. 고용주들은 가족 친화적 지원에 대해 적극적인 자세를 갖게 됐다. 가족 친화 정책의 대표적인 사례는 유연 근무다. 포드에서는 관리자의 허가를 받아 업무 시간을 90퍼센트까지 단축할 수 있다. 일정한 조건만 지키면 근무 시작 시간과 퇴근 시간은 개인의 필요와 선호에 따라 정할 수 있다. 뉴욕 생명 보험도 유연 근무에 대한 명확한 가이드라인을 제공하고 맞춤형 근무제를 시행했다. 뉴욕 생명 보험은 업무에 최적화된 근무 방식을 스스로 택하는 것을 유연성이라 정의한다. 노동자가 자신의 근로 시간을 자유롭게 정하는 것도 유연성의 일부다. 노동자는 자신이 처한 상황에 따라 일할 장소와 시간을 정할 수 있었다. 업무 성과가 노사 협상의 기본

조건이 되므로 기업 입장에서도 손해를 볼 가능성이 낮았다.

미국과 한국의 결정적인 차이는 미국에서는 양육이 성별을 초월한 복지 측면에서 논의됐다는 점이다. 이를 통해 남성과 여성은 직장에서 능력에 기반을 두고 평가받을 수 있었고, 기업 입장에서는 여성의 노동력을 활용해 생산성을 높일 수 있었다. 정부도 유연한 근로 시간 제도를 정착시키기 위해서 1973년 종합 고용 훈련법Comprehensive Employment and Training Act을 제정했다. 이 법을 기점으로 많은 정부 기관에서 유연 근로를 장려했다. 미국 정부는 스웨덴처럼 복지 지출을 확대하는 대신 세금을 공제해 주는 방법으로 여성 고용과 출산율을 높이고자 했다. 저소득 가구의 소득 공제를 강화하기 위해 도입된 근로 소득 지원 세제Earned Income Tax Credit도 있다. 저소득층의 세금 부담을 덜어 주고, 근로 소득이 일정 수준 이하인 가구에 현금을 지급한다. 이런 정책을 통해 여성들은 집안일을 외주화하거나 민간 보육 시설을 이용해 돌봄 문제를 해소했다. 2000년대 초반을 지나면서 미국의 고학력 중산층 여성이 집안일과 직장 일을 병행하는 현상은 노동자와 기업가 모두의 필요를 충족하는 익숙한 규범이 됐다.

미국의 사례는 고학력 여성이 가사 노동으로 경제 활동에 참여하지 못하는 것이 국가 경제에도 악영향을 미친다는 공감대의 중요성을 보여 준다. 여성 인력 활용은 국가 경쟁력 제고뿐 아니라, 기업의 노동력 확충을 위해서도 필요하다. 인구 증가율이 떨어지고 고령화 사회가 되면서 일할 사람이 부족해지고 있는 상황에서는 더 그렇다. 2025년까지 여성에 대한 불평등이 완전히 사라지면 전 세계 국내 총생산GDP이 11퍼센트나 증가할 수 있다는 컨설팅 기업 맥킨지McKinsey의 보고서도 있다.[40]

한국 여성 정책 연구원이 2009년부터 2013년까지 5년 간 유가 증권 시장에 상장된 170개 기업을 대상으로 여성 임원의 숫자와 기업의 재무 성과 관계를 분석한 결과에서도 비슷한 교훈을 얻을 수 있다. 5년 동안 여성 관리자 비율이 증가한 기업이 감소한 기업보다 자기 자본 이익률ROE 평균이 2배이상 높았다는 것이다. 또 여성 임원이 한 사람이라도 있는 기업이 전혀 없는 기업보다 매출액과 수익률 평균이 더 높았다. 여성 인력의 확대는 기업과 사회 전체의 생산성을 높이기 위해서라도 시급한 과제다.

한국은 성 평등 사회가 아니다

한국 사회의 성차별은 심각한 수준이지만, 문제 해결을 위한 노력이 전혀 없는 것은 아니다. 곳곳에서 많은 분들이 미래 세대에게 더 평등한 사회를 물려주기 위해 일하고 있다. 정부에서 운영하는 성 인지 예산 제도와 성별 영향 평가 제도가 대표적인 예다. 전자는 같은 예산이 여성과 남성에게 미치는 영향을 분석하고, 예산 편성에 그 결과를 반영해 여성과 남성이 동등하게 예산의 수혜를 받도록 하는 제도다. 후자는 법령, 계획, 사업 등 주요 정책을 수립하고 시행하는 과정에서 여성과 남성의 특성이나 경제적 격차 등을 분석하는 제도다.

두 제도는 우리 사회의 대표적인 성 주류화gender main-streaming 정책이다. 성 주류화는 여성이 사회 모든 영역에 참여해 목소리를 내고, 의사 결정권을 갖는 사회 시스템을 만드는 일을 말한다. 안타까운 것은 이 제도가 시행된 지 꽤 오랜 시간이 흘렀음에도 불구하고 왜 이런 제도가 필요한지를 묻는 사람들이 많다는 점이다. 모든 국민을 위한 예산서를 쓰면서 꼭 성 인지 예산서까지 만들어야 하는지 비판하는 연구자나 공무원이 있다. 성 주류화 정책의 필요성에 반감을 갖는 이들의 대다수는 제도의 목적과 취지를 이해하지 못하고 있다. 여자들이 더 살기 좋은 시대가 됐는데, 이런 것까지 해야 하느냐며 볼멘소리를 한다.

이들은 한국 사회에 성차별이 만연하다는 사실을 일부러 외면하는 것 같다. 여성들은 노동 시장의 주변부에서 중첩된 어려움을 겪고 있다. 남성 중심의 연공서열이 공고화된 조직의 유리 천장은 높고도 두껍다. 여성이라는 성별은 채용 단계에서부터 꼬리표처럼 따라온다. 취업 포털 사람인에서 조사한 결과에 따르면, 채용 면접에서 여성이 남성보다 성별과 관련한 질문을 세 배 이상 많이 받는다고 한다. 남성에게는 야근에 대한 생각을 가장 많이 묻는 반면, 여성에게는 결혼, 출산 계획을 질문한다는 것이다. "지금의 애인과 사귄 기간이 얼마나 되느냐", "결혼하면 직장을 그만둘 생각이냐", "업무상 긴급 상황이 생겼는데 아이가 아파서 울면 어떻게 할 생각이냐"는 식의 질문들이 집요하게 날아든다.

아이가 있는 여성이 회식 자리에서 빠지거나, 정시에 맞춰 퇴근하는 것을 두고 근로 의욕이 낮다고 평가하기도 한다. 아이를 돌보는 여성의 역할을 중요시하면서 막상 아이를 위해 직장 생활의 일부를 포기하는 여성들을 질타하는 것은 모순적이다. 누군가는 아빠가 휴직을 하면 되지 않느냐고 쉽게 말할 수 있다. 하지만 여성이 남성에 비해 대체로 임금이 낮은 구조하에서 부모 중 한쪽이 직장을 그만둬야 한다면 여성이 손해를 감수할 가능성이 크다.

더 근본적인 문제는 아이는 여성이 돌봐야 한다는 모성

에 대한 막연한 기대다. 사회 전반의 학력 수준이 높아지고, 맞벌이 가정이 늘고 있는데도 돌봄 시장이 충분하게 형성되어 있지 않은 것은 의아한 대목이다. 미국의 경우 직장인 여성이 고용할 수 있는 베이비시터, 가사도우미 등의 집안일 외주화 시장이 충분히 형성돼 있다. 고연봉자가 아니더라도 시장에서 합리적인 가격에 서비스를 구매해 이용할 수 있다. 한국에서 아이를 맡기기 위해서는 공공 보육이나 가족 지원에 의존할 수밖에 없다. 이런 상황이 만들어진 것도 아이는 엄마가 보는 것이 당연하다는 사회적 인식과 무관하지 않다.

직장 내의 성차별을 극복하려 분투하는 여성은 독한 사람이 된다. 성차별에 항의하면 사내 분란을 조장하는 피곤한 사람이라는 이야기를 듣는다. 차별이 만연한 사회에서는 차별을 적극적으로 의식하지 않으면 편견에 사로잡히기 쉽다. 더 많은 여성이 평등하게 일하기 위해서는 한국의 성차별 실태에 대한 정확한 인식과 차별 해소를 위한 적극적인 노력이 필요하다.

누구나 일할 수 있는 나라

2017년 우리나라 교육부는 '모든 아이는 우리 모두의 아이'라는 홍보 문구를 만들었다. 이 슬로건은 약 50년 전인 1970년대 스웨덴에서 먼저 나왔다. 당시 스웨덴 정부는 보육 서비스를 확장하면서 '모든 아이는 모두의 아이alla barn är allas barn'

라는 표어를 내걸었다. 스웨덴이 보육 서비스를 확장하게 된 계기는 여성의 이중고에 대한 사회적 공감대 확산과 밀접하게 연결되어 있다.

스웨덴은 2000년대까지 두 차례의 경제 위기를 겪었다. 1970년대의 오일 쇼크와 1990년대 초의 금융 위기다. 위기에도 불구하고 스웨덴은 복지 정책을 축소하지 않고, 관대한 가족 정책, 젠더 평등을 위한 정책을 고수했다. 경제 위기 전부터 누구나 일하는 것이 당연하다는 사회적 합의를 이룩했기 때문이었다. 국민이라면 누구나 일하고 세금을 납부해야 한다는 이야기가 여성 인권 신장과 어떻게 연결될 수 있었을까. 그 요인으로는 크게 네 가지를 꼽을 수 있다. 조직화된 여성 운동의 영향력, 여성 노동의 가시화, 돌봄 서비스의 확충, 그리고 여성의 일자리가 여성만의 문제가 아니라는 사회적 합의다.

가장 먼저 여성 운동의 영향력에 대해 알아보자. 스웨덴에서도 출산과 양육은 여성의 기회를 제약하는 대표적인 문제였다. 스웨덴에서는 1970년대부터 아버지가 혼자 밖에 나가 돈을 벌고, 어머니는 집에서 아이를 기르고 집안일을 하는 남성 생계 부양자 중심의 가족 모델이 사라지고 맞벌이 가정이 일반적인 모델로 자리를 잡았다.[41] 이런 변화가 가능했던 이유는 스웨덴 여성이 정책 결정 과정에서 주요한 행위자로 행동했기 때문이다. 스웨덴의 여성들은 자신들의 목소리를 온

건하고 계몽적인 방식으로 관철시켜 남성 생계 부양자 가족 모델을 지지하는 세력과의 마찰을 유연하게 줄여 나갔다.[42]

1970년대부터 스웨덴 전역에서 다양한 단체가 만들어졌다. 스웨덴 여성 운동 역사에서 제2의 파도라 불리는 이 시기의 주요 의제는 여성이 가사 노동과 직장 일이라는 이중고에 시달리는 구조를 타파하는 것이었다. 1968년 조직된 '그룹 8'은 대표적인 여성 운동 단체다. 주요 멤버는 직장 생활을 하면서 가사 노동이라는 이중고를 감당하는 30~40대 여성이었다.[43] 이 단체를 시작으로 여성 운동의 주류가 중산층 지식인에서 유자녀 여성으로 옮겨 가게 됐고, 여성에게 이중적 부담을 지우는 부당한 사회 구조에 대한 반발이 더 거세졌다.

특히 낮은 임금에 불만을 가진 여성들의 움직임은 봉기 수준으로 발전했다. 산업 현장의 저임금 여성 노동자뿐만 아니라, 병원 업무나 비서직 등 서비스 현장에 종사하는 여성 노동자들도 직간접적으로 영향을 받아 계급 문제와 여성 차별 문제를 지적했다. 전통과 역사를 지닌 여성 조직들과 사회민주당 여성위원회도 일부 지역에서 새롭게 등장한 진보 여성 운동에 합류했다. 이들은 공공 보육 시설의 증축 문제, 성추행 등 직장 내 성차별에 관한 조사, 여성의 실업 문제 등을 포괄적으로 지적했다.

1990년대에는 제3의 물결이 거세게 일었다. 지난 여성 운동과 궤를 같이 하면서도 여성의 기본권과 성 평등을 정치적 이슈로 승격시켰다는 점에 의의가 있다. 이 시기의 여성 운동은 대규모의 시위나 모임 같은 표출 방식보다는 논리를 강조한 책이나 간행물, 비디오 등을 매개로 하는 온건한 태도를 취했다. 강력한 파급 효과로 단기간에 변화를 일으킨 것은 아니지만, 여성주의가 부흥하는 계기를 마련했다. 가장 큰 성과는 주요 정당이 여성들을 공천하게 만들었다는 점이다. 당시 선거 결과 여성 의원의 비율은 33.5퍼센트에서 41퍼센트로 성장했다.[44] 2000년에는 여성 국회의원 비율이 43퍼센트까지 상승했고, 장관직의 절반이 여성에게 할당될 정도로 여성의 정치적 힘이 신장될 수 있었다.

실제로 스웨덴 의회에서 설문 조사를 하면, 남성 의원들보다 여성 의원들이 사회 복지 정책을 우선시한다고 한다.[45] 여성 운동을 통한 여성의 정치적 성장이, 여성의 이해를 반영한 정책 형성과 발전에 영향을 미치는 선순환 구조를 보여주는 사례다.

노동조합은 1990년대 스웨덴의 여성 운동이 세력을 확장해 나가는 데 중요한 역할을 했다. 이전까지 스웨덴 노동조합 총연맹LO의 정책 기조는 여성주의와 거리가 멀었다. 이들은 성차별과 여성 문제를 정면으로 지적하기보다 중립적인 자세로 남성 노동자의 입장을 대변하는 쪽에 가까웠다. 노동

조합 총연맹의 핵심 세력이었던 금속 노조 대부분이 남성들로 구성되어 있었기 때문이다.

여성 운동이 확산되면서 노동조합의 성격에도 변화가 생겼다. 1980년대 이후 금속 노조의 세력이 약화되고 있었다는 점도 주요 요인이었다. 수출 중심의 금속 노조 노동자들이 탈퇴하며 노동조합 총연맹에서는 내수 시장을 중심으로 하는 서비스 부문 조합원의 중요성이 높아졌다.[46] 서비스 부문 종사자 중에서도 여성이 압도적 다수를 차지하는 지방 자치 단체 노조kommunal의 세력이 강했다. 지방 자치 단체 노조 조합원의 대부분은 공공 부문 복지 서비스에 종사하는 여성이었다. 이들은 총연맹 내에서 여성 조직을 만들거나, 여성이 사업장 단위에서 블루칼라와 화이트칼라의 네트워크를 만드는 것을 장려했다.[47]

여성의 대표성이 높아지자 공공 부문 돌봄 노동 문제를 해결하기 위한 블루칼라 노동자의 움직임이 시작됐다. 이들은 임금 평등이라는 공식적 목표를 세웠다. 돌봄 노동의 구조와 체계를 개혁하고자 했으며, 장기적으로는 여성의 임금 향상을 위한 기술력 제고, 재직 훈련, 책임 증대 등 숙련도를 높이기 위한 훈련 프로그램을 마련했다.

파트타임 분야에서는 여성의 시간제 일자리가 계급 문제라는 점을 이슈화했다. 블루칼라 노동자들은 파트타임 일자리가 여성의 문제이자 계급의 문제라고 강조하며, 블루칼라 노동자가 파트타임에 종사하는 현상이 여성의 경제적 독립을 저해하고 있다고 밝혔다. 파트타임 노동은 공공 부문의 저임금 문제보다 해결하기 어려운 과제다. 구체적인 정책들은 스웨덴에서도 여전히 문제가 되고 있는 상황이지만, 공공 부문의 여성 파트타임을 심각한 문제로 인식한 것 자체에서 커다란 진보가 이뤄진 것이라 말할 수 있다.

스웨덴 여성의 정치적 역량이 확대되고, 양성 평등의 제도화나 유자녀 여성 고용에 대한 국가적 관심이 높아짐에 따라 자연스레 아동 문제에 대한 사회적 이해도 포괄적으로 발전했다. '모든 아이는 모두의 아이'라는 표어는 전국적으로 퍼졌다. 정부는 자녀 돌봄에 대한 부모의 선택권을 존중하면서도, 사회가 아이를 잘 길러 내야 한다고 생각했다. 이를 위해 일하는 부모를 지원하고, 부모가 아이를 돌보는 데 더 많은 시간을 사용할 수 있도록 하는 돌봄 관련 서비스가 확충됐다.

스웨덴은 1970년부터 공공 보육 시설을 대폭 확대했지만 증가하는 보육 수요를 완벽하게 충족할 수는 없었다. 공공 보육 시설의 이용 권리는 모든 부모가 직장에 다니는 아동에게 우선적으로 주어졌다. 보편적인 공공 보육이 확충된 계기는 스웨덴 의회가 1977년 통과시킨 아동법 제정이었다. 아동법은 보육 시설 증설에 대한 지방 정부 책임을 강화하고, 이 모든 과정을 국립 보건원이 감독하게 했다. 1982년에는 아동법이 사회 복지법으로 통합됐다. 중앙 정부는 어린이집과 가정 탁아familjedaghem라 불리는 사설 보육 기관까지 보조금을 지원해 아동 돌봄의 유형을 다양화했다. 공공 영역이 민간 영역까지 포함해 정책을 수립했다는 점에서 아동 정책 발전사에 획을 긋는 성과였다. 철저히 공익성을 기준으로 지원 대상으로 선정했고, 영리 기관은 배제했다. 이런 노력을 통해 1974년에는 6만 2000명에 불과하던 보육 아동의 수가 1985년에는 26만 6000명으로 증가했다. 보육 서비스의 확대가 일으킨 변화는 놀라웠다. 1980년 노동 시장에 참여하고 있는 25~34세 여성의 비율은 무려 81퍼센트에 달했다.[48]

양적 확대뿐만 아니라 공공 보육의 질적 수준도 고려했다. 국립 보육위원회는 양육의 질적 수준을 높이기 위해서는 반드시 부모의 참여가 필요하다고 판단했고, 부모들의 참여를 방해하는 요인이 장시간 근로라는 점에 공감했다.

스웨덴 정부는 부모 보험 제도를 통해 부모가 가정과 직장을 양립할 수 있도록 도왔다. 부모 보험 제도는 아이를 둔 부모가 휴가를 신청하거나 노동 시간 단축을 선택할 수 있는 제도다. 여성들만 사용할 수 있었던 육아 휴가를 대체하여 시행된 것으로, 두 종류의 지원 정책이 있다. 하나는 자녀 출산과 관련된 부모 급부금parental allowance이다. 부모 급부금은 자녀가 여덟 살이 될 때까지 언제나 받을 수 있고, 이 시기에는 근로 시간도 절반이나 4분의 1로 조정할 수 있다. 부모 급부금은 부모가 근로 시간을 줄이고 집에서 자녀를 돌볼 수 있도록 경제적으로 지원하는 제도다. 1974년 6개월이었던 사용 기간은 1986년 12개월로 늘었다. 자녀의 나이 차가 적을수록 유리하다. 첫째 아이를 낳은 후 24개월 이내에 둘째 아이를 출산할 경우, 첫째 아이를 낳기 전의 소득을 기준으로 부모 급부금이 계산되기 때문이다. 여성들이 안정적인 직장과 소득을 확보한 후에 자녀를 낳고, 다음 자녀도 연이어 갖게 하는 효과를 위해 설계된 제도다.

다른 하나는 부모가 아픈 자녀를 돌볼 때에 배정되는 일시적인 급부금이다. 일시적 급부금은 12세 이하의 자녀가 아프거나, 규칙적으로 자녀를 돌보는 사람이 아플 때 사용할 수 있는 제도다. 아이 한 명당 60일까지 소득의 80퍼센트가 부가 수당으로 지급된다.

그러나 부모 보험 제도에도 불구하고 스웨덴 남성의 육아 휴직률은 좀처럼 높아지지 않았다. 실제 보험 제도의 주 사용자는 여성이었다. 이런 결과에 대응해 스웨덴 정부는 전통적인 성 역할을 변화시키기 위한 강력한 정치적 조치를 마련해 나갔다. 1995년에 스웨덴 의회는 양도가 불가능한 한 달간의 부모 휴가를 도입하기에 이른다. 아버지가 아니면 활용할 수 없게 규정된 육아 휴직은 '부친 쿼터'로 불리며 2002년에는 2개월로 늘어났다.

육아 휴직 외에도 자녀 양육의 시간을 연장하기 위한 정부의 다각적인 지원이 있었다. 스웨덴에서는 1979년부터 어린 자녀를 가진 부모는 하루에 6시간까지 근무 시간을 단축할 수 있는 정책을 시행했다. 공공 부문의 여성 중심 직종뿐만 아니라 일반 기업도 우수한 여성 인력을 확보하기 위해 일하기 쉬운 업무 환경을 갖추고자 노력했다. 무엇보다 노동조합이 근로 시간을 철저하게 관리했기 때문에 정시 출근-정시 퇴근은 일반적인 직장 풍경이 됐다.

근로 시간 단축을 통한 맞벌이 부부 지원의 방향은 파트타임 일자리의 증가로 연결됐다. 스웨덴의 시간제 일자리는 어머니와 근로자라는 두 가지 역할을 동시에 유지할 수 있도록 돕는 정책의 결과물이었다. 실제로 파트타임 근로의 확대는 여성의 고용률 증가에 긍정적인 영향을 미쳤다. 스웨덴에서 전업주부 비율이 급격히 줄어든 시기인 1970~1980년대, 경제 활동을 하는 인구에서 파트타임이 차지하는 비율이 크게 상승한 것이다. 1981년에는 7세 이하 아동을 둔 여성 근로자의 66퍼센트가 시간제로 일하고 있었을 정도로 그 비율이 높아졌다. 이 시기의 시간제 노동은 더 이상 1960년대의 좋지 않은 일자리가 아니었다.

스웨덴은 꾸준히 여성의 노동 시장 참여, 일과 가정 양립을 위한 다양한 제도를 발전시키고 있다. 스웨덴은 모든 아이는 모두의 아이라는 표어를 실현해 나가고 있다. 여성의 일자리 문제는 단순히 여성 문제로 국한되지 않고 모두의 문제로 인식된다.

우리에게 필요한 것

한국 사회의 발전주의 체제는 노동 시장의 이중 구조화를 가속화하고, 남성 중심의 내부 노동 시장과 정규직 중심의 제한적 사회 복지를 발달시켰다. 남성 노동자를 선호하는 대기업 중심의 숙련 흡수 현상으로 고등 교육이 과잉 팽창됐지만, 한국의 여성은 미국의 여성들처럼 고등 교육에 따른 고용 프리미엄도 얻을 수 없다. 한국은 수직적인 성별 분리뿐 아니라, 수평적 성별 분리도 강하게 나타나는 사회다.

여성들의 일자리 문제가 해결되기 위해서는 한국 여성 운동의 조직화된 힘이 필요하다. 한국에서 여성의 정치적 영향력을 강화하려는 노력은 있지만 여전히 부족하다. 스웨덴과 같은 연대의 정치도, 미국처럼 고학력 여성들의 노동 시장 참여를 독려할 강력한 시민 사회의 목소리도 미약한 수준에 그치고 있다. 여성의 정치적 대표성을 높임으로써 제도권 내에서 여성 운동이 제 역할을 발휘할 수 있는 방안을 모색해야 한다.

유리 천장에 작은 균열이라도 내려면 성 주류화에 대한 사회 전반의 인식 제고도 필요하다. 기업이나 정치 영역에서 여성 인력 할당제와 같은 정책이 운영되고 있지만 실상을 들여다보면 구색 맞추기에만 급급하다. 여전히 주요한 정책 의제에서 여성의 참여는 그리 많지 않다. 제도의 취지에 대한 인지도가 높지 않고 영향력도 적다. 관련 정책을 여성들만의 논제가 아니라 사회 전체의 합의를 위한 테이블에 올릴 수 있는 과제로 인식해야 한다.

나아가 남녀가 동등한 위치에서 경쟁할 수 있게 만들어야 한다. 지금 한국 사회에서 출산율 제고 정책은 가임기 여성 달래기에 초점을 맞추고 있는 모양새다. 지방 정부는 가임기 여성 인구에 민감하다. 저출산 문제를 겪고 있는 일본 등 다른 나라도 마찬가지다. 젊은 층의 출산 의지를 강화하기 위한 전략이 필요하다고 할 정도로 출산율이 문제가 된다면, 일자리에서 남녀의 지위 경쟁을 유발하는 장시간 근로를 감소시키는 정책적 방안을 마련해야 한다. 최근 근로 시간 감소와 관련된 논란이 뜨겁다. 주 52시간 정책이 어떤 결과를 가져올 것인지는 두고 봐야 하겠지만, 근로 시간 조정 정책은 분명 일과 가정의 양립에 중요한 기여를 할 수 있다.

근로 시간 정책이 다양한 노동 현장에서 유연성을 갖고 시행되기 위해서는 적절한 설계 방식이 필요하다. 장시간 근로를 선택하려는 개인의 자유를 단시간 내에 일괄적으로 뺏기는 어렵다. 따라서 장시간 근로를 막는 것이 일자리 창출과 같은 노동 시장의 일자리 문제를 해결함과 동시에 자녀 돌봄의 문제를 남녀 모두가 분담함으로써 여성들의 위험 부담을 줄여 줄 수 있는 방안이라는 사회적 공감대를 이뤄야 한다.

다만 한국 노동 시장 특성을 고려할 때 어떠한 돌봄 지원을 확대해야 하는가를 고민할 필요가 있다. 한국은 기업 특정적 숙련 체계가 잘 유지되고 있으므로, 육아 휴직 정책보다는 공공 보육 정책을 확대함으로써 여성의 경제 활동 참여를 지원하는 것이 효과적일 수 있다. 경력 단절 기간 동안 이용할 수 있는 서비스의 질적 향상도 필요하다. 기업 내부에서 장시간 노동 등의 문제가 해결되어 남녀 모두가 동등한 경쟁을 펼칠 수 있는 시기가 와도, 여성에게는 아이 돌봄 문제가 남는다. 국가가 그 역할을 대신해 주지 않으면 여성이 능력을 펼치기 위해 가족들을 동원하거나, 시장에서 비싼 임금을 주고 도우미를 구해야 한다. 정부가 많은 공을 들이고 있는 아이돌보미 사업은 한계가 있다. 대기자는 원하는 시기에 서비스를 받을 수 없어서 불편하고, 도우미는 좋지 않은 처우로 힘겨운 상황이 반복된다.

교육을 통한 지위 경쟁의 과열을 식히기 위한 노력도 시급하다. 지위 경쟁 역시 노동 시장의 이중 구조와 연관이 있는 장기 과제가 될 것이다. 지위 경쟁의 시작은 핵심적인 일자리가 적다는 것에서 비롯된다. 청년의 일자리가 결혼과 임신, 자녀 출산의 물꼬를 터준다는 사실을 인식해야 한다. 일자리의 확대를 위해서는 장시간 근로를 막는 것과 더불어 중급 숙련의 확보, 노동력 활용을 위한 국가 차원에서의 노력을 병행해야 한다. 청년들이 중소기업 취업을 거부하게 만드는 노동 시장의 극심한 이중 구조가 완화돼야 한다. 자신의 능력을 발휘하지 못하고, 자녀 교육을 통한 지위 경쟁에 뛰어들 수밖에 없는 고학력 여성들의 이탈이 지속되면 국가가 아무리 아이와 함께 행복한 대한민국을 슬로건으로 내세운다 해도 출산율은 높아지지 않는다.

배울수록 노동 시장에서 배제되는 환경은 배움에 대한 의욕을 저하시킨다. 그러나 배우지 않으면 핵심 노동 시장에 진입하기가 불가능하다. 문제는 고학력 여성이 노동 시장에 진입조차 못하고 있는 상황이다. 수많은 고등 교육 기관에서 고학력 여성이 쏟아지고 있다. 여성 청년의 일자리 문제는 우리 사회의 저출산 문제 해결을 위해서도 중요한 부분이다. 젊은 여성은 이미 부모나 선배 유자녀 여성이 노동 시장에서 겪는 어려움을 보고 들었다. 그런데 이제는 아예 노동 시장에 진입하기도 어려운 것이다. 일하기 어려운 시대에 아이까지 낳아서 이중고를 치를 여성은 많지 않다.

청년 세대의 문제는 대학, 취업, 졸업으로 이어졌던 일반적인 생애 주기를 달성하기 어렵다는 데 있다. 이제는 경력 단절이라는 것조차 경험하지 못할지도 모른다. 학업은 마쳤지만 취업이라는 관문을 뚫기 어렵고, 경제적 독립이 어려우니 결혼은 꿈꾸지 않는다. 결혼을 해도 주거 비용과 생활 유지 비용이 너무 커서 자녀 출산을 포기한다. 아이를 더 낳아야 한다는 원론적인 이야기보다 아이를 더 낳을 수 있는 조건을 충족시키는 방향으로 사회가 변해야 할 것이다. 우선 보육과 교육 사이에서 사각 지대에 놓인 초등학교 시기의 돌봄 필요를 채워서 일하는 부모가 근심 없이 일에 몰두할 수 있게 만들어야 한다. 결혼과 임신, 출산과 양육은 일하려는 여성에게 여전히 심각한 약점이다. 결혼과 출산, 자녀 양육이 여성의 성장을 막는 사회 구조를 해소하는 일은 여성의 문제가 아니라 우리 사회의 미래가 달린 문제다.

에필로그   기회의 평등을 말하다

고학력 여성의 노동 시장 진출을 위해 우리 사회에 가장 먼저 필요한 것이 공정한 기회다. 어떤 정책이 새롭게 만들어지든, 기회 제공이라는 가치에 초점을 맞추고 설계해야 한다.

내가 일하고 있는 직장의 채용 면접은 출신 학교와 출신 지역 등의 정보를 전혀 공개하지 않는 블라인드 방식으로 진행됐다. 면접에 참여한 심사 위원을 제외하고는 채용 과정에 대한 정보가 내부자들에게 일절 공개되지 않았다고 한다.

면접 질문은 논문 내용에 집중됐다. 난생 처음 받아 보는 날카로운 질문들이 이어졌고, 심사 위원이 내 논문을 세심하게 검토하고 왔다는 인상을 받을 수 있었다. 논문의 한계점에 대해서 명확하게 지적하신 분도 있었지만 기분이 나쁘지 않았다. 지원자의 논문을 이토록 성실히 검토해 줬다는 사실에 감사했다. 다른 면접에서 경험했던 말꼬리를 잡거나 비아냥대는 질문이 하나도 나오지 않았다.

이 자리에 오기까지 내가 얻은 기회에 대해 돌아봤다. 학위 과정을 밟으면서 인문 사회 계열에서 보기 힘든 10년간의 장기 프로젝트에 참여할 수 있었다. 약 6년 동안 연구 실적을 쌓으면서 연구 보조원에서 전임 연구원으로 경력 기반을 다졌다. 이 프로젝트가 아니었다면 결혼을 하고 아이를 키우며 학업을 지속할 수 없었을 것이다. 학위 과정을 마쳤을 무렵 새내기 박사가 차지하기 어려운 강의 기회도 얻었다. 학과에서 신규 박사를 우선 배정한다는 규칙을 새롭게 만든 교수가 있었던 덕이다.

여성의 노동 시장 진출을 위해서는 교육과 취업이 연계되는 형태의 가교형 일자리가 많아져야 한다. 채용 과정이 투명하고, 공정하게 진행되는 환경이 필요하다. 무엇보다 자녀의 유무나 나이, 성별이 아니라 능력과 직무에 기반을 두고 필요한 인재를 선발하는 사회가 되어야 한다.

양재진 교수, 임재현 교수, 하연섭 교수, 주재현 교수, 정헌주 교수께 특히 감사 인사를 드리고 싶다. 능력에 기반해 기회를 주려는 스승을 만날 수 있었던 것은 큰 축복이었다. 내가 성실하다면 더 많은 기회를 얻을 수 있다는 믿음이 포기하지 않고 앞으로 나아가는 원동력이 됐다. 기회의 균등은 우리 사회의 성실한 여성들이 자아를 실현하기 위한 가장 근본적이고도 중요한 가치다.

주

1 _ 송민수, 〈여성 관리자 현황과 과제〉, 《KLI 패널브리프》 제15호, 한국노동연구원, 2018. 9. 17.

2 _ 경제활동인구조사, 통계청, 2018. 8.

3 _ Jennifer Jarman, Robert M. Blackburn, Girts Racko, 〈The Dimensions of Occupational Gender Segregation in Industrial Countries〉, 《Sociology》, British Sociological Association, 2012. 5. 16.

4 _ 최성은, 양재진, 〈미국 중산층 여성 일·가정 양립 경로의 역사적 형성 과정에 관한 연구〉, 《한국사회정책》 제23호, 2016.

5 _ 박진희, 이시균, 박세정, 〈최근 성별 임금 격차 축소 원인 분석〉, 《고용동향 브리프》, 한국고용정보원, 2017. 8.

6 _ Bruno Amable, 〈Institutional Complementarity and Diversity of Social Systems of Innovation and Production〉, 《Review of International Political Economy》, 2000.

7 _ 양재진, 〈노동 시장 유연화와 한국 복지 국가의 선택: 노동 시장과 복지 제도의 비정합성 극복을 위하여〉, 《한국정치학회보》, 2003.

8 _ 원시연, 〈한국 여성 정책 담당 중앙 행정 기구의 역사적 변천 과정에 관한 연구: 정무 장관(제2)실을 중심으로(1988-1998)〉, 서울대학교 박사 학위 논문, 2006.

9 _ 양재진, 〈한국의 산업화 시기 숙련 형성과 복지 제도의 기원: 생산 레짐 시각에서 본 1962-1986년의 재해석〉, 《한국행정학보》 제42호, 2004.

10 _ 송호근, 〈스웨덴의 사회 정책 - 렌-마이드너 모델을 중심으로〉, 한국노동연구원, 1996.

11 _ 양재진, 같은 글, 2004.

12 _ 하연섭, 〈인적 자원 개발 정책의 비교 분석: 생산 레짐 이론을 중심으로〉, 《행정논

총》제46호, 2008.

13 _ 하연섭, 같은 글, 2008.

14 _ Margarita Estèvez-Abe, 〈Gendering the Varieties of Capitalism: A Study of Occupational Segregation by Sex in Advanced Industrial Societies〉,《World Politics》, 2006.

15 _ 신윤정, 〈OECD 지표를 통해서 본 우리나라의 양성 격차와 일·가정 양립〉,《보건 복지포럼》, 2015.

16 _ OECD, 〈OECD Education at a Glance〉, 2013.

17 _ 하연섭, 같은 글, 2008.

18 _ Margarita Estèvez-Abe, 같은 글, 2006.

19 _ Choi S., 〈Women's Wage and Childbearing〉,《한국인구학》, 2012.

20 _ OECD Labour Database.

21 _ 징성미, 〈여성 노동 시장의 특징과 최근의 변화〉,《노동리뷰》, 한국노동연구원, 2014. 6.

22 _ 최성은, 〈여성 일·가정 양립의 제도주의적 분석〉, 연세대학교 박사 학위 논문, 2016.

23 _〈통계청장 "올해 합계 출산율 1.0 미만…인구 감소 빨라질 것"〉,《연합뉴스》, 2018. 11. 18.

24 _ 최성은, 〈여성 일·가정 양립의 제도주의적 분석〉, 연세대학교 박사 학위 논문, 2016.

25 _ 김유선, 〈노동 복지 결정 요인 분석: 국가 복지와 기업 복지 비교〉, 제10회 한국 노동 패널 학술 대회 논문, 한국노동연구원, 2012.

26 _ 이영자, 〈신자유주의 노동 시장과 여성 노동자성〉,《한국여성학》, 2004.

27 _ 배은경, 〈'경제 위기'와 한국 여성〉,《페미니즘 연구》, 2009.

28 _ 김현미, 〈여성 대학생과 커리어 개발: 비판과 성찰을 위한 시론〉,《여성과 직업》, 부산대학교 여성연구소, 2001.

29 _ 조현아, 〈韓, 작년 근로 시간 OECD 3위…장시간 근로자 비중 32% 압도〉,《뉴시스》, 2018. 7. 15.

30 _ 김은정, 이진숙, 최인선, 〈자녀 양육 실태 및 돌봄 지원 서비스 개선 방안: 맞벌이 가구 중심으로〉, 한국보건사회연구원, 2014.

31 _ 배은경, 같은 글, 2009.

32 _ 이삼식, 〈2015년 전국 출산력 및 가족 보건 복지 실태 조사〉, 한국보건사회연구원, 2015.

33 _ 김수정, 〈보육 서비스의 트릴레마 구조와 한국 보육 정책의 선택 - 민간 의존과 비용 중심의 정책〉,《경제와 사회》, 2015. 3.

34 _ 김진석, 김은정, 안정인, 최경숙, 김호연, 이경민, 〈맞춤형 보육에 대한 학부모, 교사의 곡성〉,《월간 복지동향》, 2016.

35 _ 백선희, 〈직장 어린이집 설치 의무 제도, 새로운 방향을 모색할 때!〉,《육아정책 브리프》, 육아정책연구소, 2018. 8. 13.

36 _ 신현구, 장지연, 〈모·부성휴가 요구 분석 및 사각 지대 해소 방안 연구〉, 한국노동연구원 고용보험연구센터, 2015.

37 _ 이삼식, 같은 글, 2015.

38 _ 비교 가치 운동은 동일 노동-동일 임금에서 나아가 동일 자치 노동-동일 임금이라는 구호를 제시했다. 여성 노동이 집중된 직무에 대한 저평가로 나타나는 임금 차별을 보정하려는 정책이었다. 기술, 노력, 작업 조건, 책임성 등을 기준으로 한 직무별 점수 평가에 근

거해 직무 가치(job worth)의 동등성(comparability)에 초점을 두어야 한다는 운동이었다.

39 _ Mary Secret, Ginny Sprang, 〈The Effects of Family-friendly Workplace Environments on Work-family Stress of Employed Parents〉, 《Journal of Social Service Research》, 2015.

40 _ 손해용, 〈한국 직장 내 성 평등 아시아 최하위권…"성 평등 이루면 GDP 172조 원 늘어"〉, 《중앙일보》, 2018. 5. 5.

41 _ 최성은, 〈무엇이 한국의 고학력 여성의 노동 시장 참여를 어렵게 하는가?〉, 《페미니즘 연구》, 2017.

42 _ K. J. Morgan, 《Working Mothers and the Welfare State: Religion and the Politics of Work-family Policies in Western Europe and the United States》, Stanford University Press, 2006.

43 _ 신필균, 《복지 국가 스웨덴: 국민의 집으로 가는 길》, 후마니타스, 2011.

44 _ 김영순, 〈노동조합과 코포라티즘, 그리고 여성 노동권〉, 《한국정치학회보》, 2004.

45 _ Lena Wängnerud, 〈Diminished Gender Differences in the Swedish Parliament〉, 《Annual Meeting of the Swedish Political Science Association》, 2016.

46 _ 김영순, 같은 글, 2004.

47 _ Winton Higgins, 〈The Swedish Municipal Workers' Union A Study in the New Political Unionism〉, 《Industrial Democracy》, 1996.

48 _ Victor Pestoff, Peter Strandbrink, 〈The Politics of Swedish Child Care〉, 《National Report》, Mid Sweden University, 2002.

북저널리즘 인사이드　　　　차별과 편견을
　　　　　　　　　　　　　직시하는 일

1만 5000명 대 454명. 500대 한국 기업의 임원 성별을 조사한 결과는 우리 사회의 성비 불균형을 단적으로 드러낸다. 여성 임원은 전체 임원의 3퍼센트에 불과하다. 이들이 사회생활을 시작할 때는 직장 여성이 적었다는 점을 감안해도 심각한 수준의 불균형이다.

노동 시장 구조를 연구한 저자는 이런 현상이 축적된 불평등의 결과라고 지적한다. 여성은 가사와 육아를 이유로 노동 시장에서 이탈할 가능성이 높은 존재일 수밖에 없었다. 기업은 언제든 회사를 떠날 수 있는 여성들을 교육하지 않았고, 여성들은 고숙련 노동자를 중심으로 하는 핵심 노동에서 소외되는 악순환의 고리가 만들어진다. 결국 여성의 일은 임금이 낮은 직무에 한정되고, 아이를 위해 경력 단절을 택한 여성은 다시 사회로 복귀하지 못한다. 여성은 아무리 배워도 일할 수 없는 사회에서 살고 있다.

차별이 있다는 사실을 상기하지 않는 사회는 편견에 물들기 쉽다. 아이를 데리러 가기 위해 퇴근하는 여성 동료를 보며 '여자들은 근로 의욕이 떨어진다'거나 '자기 생각만 한다'고 생각하기 쉽다. 맞벌이 부부라도 아이에게 더 많은 시간을 쓰는 쪽은 여성이라는 현실을 직시하지 않으면 여성의 역량이나 성향을 탓하게 된다. 여성 리더가 적은 현실을 적극적으로 해석하지 않으면 '여성은 강단이 없다'거나 '여성은 세심한 편이라 리더보다는 팔로어에 적합하다'는 고정 관념에 빠지게 된다. 전업 주부에게 '남편이 벌어다 주는 돈으로 편하게 살라'는 말은 위로가 아니다. 여성이 육아를 위해 커리어를 포기해야 하는 현실을 외면하는 시각이기 때문이다.

고학력 여성의 노동 시장 환경에 주목한 저자의 이야기는 단순히 더 배운 사람이 더 좋은 대우를 받아야 한다는 주장이 아니다. 저자는 여성이 일하지 못하는 이유를 개인의 능력 부족이 아니라 구조의 문제에서 찾아야 한다는 점을 밝히고 있다. 2017년 한국 여성의 대학 진학률은 72.7퍼센트로 65.3퍼센트였던 남성보다 높았다. 여성이라는 성별이 취업이나 승진에 불이익을 주는 구조를 바꾸지 않으면, 평균 학력이 높아진들 여성의 일자리 문제는 해결되지 않는다.

최근 한국 사회에서는 여성의 권리에 대한 논의가 확산되고 있다. 직장 내의 성차별이나 불균형을 해소하기 위한 정책들도 등장하고 있다. 그러나 한국의 직장 문화에 성차별이 실재한다는 공감대는 여전히 부족하다. 여성이 성별이 아니라 능력으로 평가받는 사회, 결혼이나 출산을 이유로 커리어를 포기하지 않는 사회를 위해서는 차별이라는 문제를 직시해야 한다. 변화는 현실을 바로 보는 데서 출발한다.

곽민해 에디터